CB005965

O
MAIOR
SEGREDO

O MAIOR SEGREDO

Rhonda Byrne

Tradução de Roberta Clapp e Bruno Fiuza

HarperCollins

Diretora editorial: *Raquel Cozer*
Gerente editorial: *Alice Mello*
Editor: *Ulisses Teixeira*
Revisão: *Anna Beatriz Seilhe*
Direção artística e arte: *Nic George*
Arte gráfica e design: *Josh Hedlund*
Layout do livro: *Yvonne Chan*
Adaptação de capa e miolo: *Julio Moreira | Equatorium Design*

CIP-BRASIL. CATALOGAÇÃO NA PUBLICAÇÃO
SINDICATO NACIONAL DOS EDITORES DE LIVROS, RJ

B999m

       Byrne, Rhonda
           O maior segredo / Rhonda Byrne ; tradução Roberta Clapp, Bruno Fiuza. -
1. ed. - Rio de Janeiro : Harper Collins, 2020.
          272 p.

          Tradução de: The greatest secret
          ISBN 9786555110722

          1. Pensamento novo. 2. Autorrealização (Psicologia). 3. Felicidade. I. Clapp,
Roberta. II. Fiuza, Bruno. III. Título.

20-66553   CDD: 131
                                        CDU: 133.2

Meri Gleice Rodrigues de Souza - Bibliotecária - CRB-7/643

Os pontos de vista desta obra são de responsabilidade de seu autor, não refletindo necessariamente a
posição da HarperCollins Brasil, da HarperCollins Publishers ou de sua equipe editorial.

HarperCollins Brasil é uma marca licenciada à Casa dos Livros Editora LTDA.
Todos os direitos reservados à Casa dos Livros Editora LTDA.
Rua da Quitanda, 86, sala 218 — Centro
Rio de Janeiro, RJ — CEP 20091-005
Tel.: (21) 3175-1030
www.harpercollins.com.br

Dedicado a toda a humanidade.

*Que O Maior Segredo possa livrá-lo do sofrimento
e trazer-lhe felicidade eterna.*

Este é o meu desejo para você e para todo ser humano.

"De todas as coisas que os seres humanos podem aprender nessa vida, tenho a melhor novidade para contar, a coisa mais linda para compartilhar…"

— Mooji

Sumário

Agradecimentos

O Maior Segredo não poderia ter vindo a este mundo sem a ajuda e o suporte de muitos indivíduos. Em primeiro lugar, gostaria de agradecer e honrar os mestres cujos ensinamentos brilhantes estão presentes neste livro. Eles são a epítome da graça e da sabedoria, e sou muito grata pela sua presença e por concordarem em fazer parte desta obra transformadora.

Para os cientistas e médicos que figuram nestas páginas, minha mais profunda gratidão por suas perspectivas pioneiras, tão necessárias para fazer a humanidade deixar para trás a era das trevas de antigos paradigmas que não funcionam mais e abraçar a presença iluminadora do verdadeiro Ser Infinito que somos.

Para os membros da equipe de *O Segredo* que trabalharam comigo em *O Maior Segredo*, não há palavras para descrever o quanto sou grata pela sua dedicação e ajuda neste projeto. Sempre que digo à equipe que fiz outra descoberta capaz de abalar o mundo e que preciso compartilhá-la com o planeta, tenho certeza de que eles respiram fundo e se perguntam o que vem por aí. Mas, sem exceção, eles abrem as suas mentes e elevam a sua consciência ao nível requerido para que possam contribuir de forma incalculável através dos seus papéis.

Skye Byrne (minha filha) é a editora original de *O Segredo*, minha editora e minha bússola humana para todos os meus livros. Para editar os meus livros, Skye precisa entender todos os ensinamentos da maneira mais profunda possível para se certificar de que eu me mantenha nos trilhos e cumpra o meu maior desejo — escrever da forma mais simples possível para que milhares de pessoas fiquem livres do sofrimento e se tornem felizes. Trabalhar nos primeiros estágios de um livro não é uma tarefa fácil, e não há ninguém no mundo que faria isso com tanto brilhantismo e perfeição quanto ela. Skye tem minha mais profunda e imensurável gratidão, pois a mão dela pode ser encontrada em cada página, guiando tudo.

Outra mão que você vai encontrar em cada página é a do nosso diretor criativo, Nic George. O belo design deste livro se deve às suas habilidades criativas extraordinárias, seu belo olho e mão criativos e seu senso de intuição profundo. Criar um novo livro com Nic é um processo de alegria profunda, e sou abençoada por tê-lo comigo, junto com Josh Hedland, que trabalhou lado a lado com Nic na capa e no miolo de *O Maior Segredo*.

Glenda Bell trabalhou diligentemente com os mestres, os colaboradores e as suas equipes para que os ensinamentos fossem apresentados da forma certa no livro. Em um esforço hercúleo, ele trabalhou generosa e entusiasmadamente sem parar, por madrugadas adentro e fins de semana, para se conectar com todos os fusos horários. Por isso, sou muito grata.

Agradeço ao restante da incrível equipe do Segredo: Don Zyck, nosso CFO, que está sempre pronto para dar o próximo salto quântico com a nossa empresa e que nos auxilia pelas necessidades legais e financeiras, mantendo tudo caminhando para o nosso objetivo; Josh Gold, que gerencia as nossas mídias sociais de maneira brilhante e que vai fazer que cada país no mundo conheça este livro, Marcy Koltun-Crilley, minha grande amiga que me acompanhou nessa jornada desde o início e uma pessoa que tenho a honra de dizer que é parte integral desta equipe; e o produtor Paul Harrington, que já estava ao meu lado havia uma década antes do

Segredo existir. Paul me inspirou e me encorajou a escrever este livro nos primeiros estágios, quando parecia quase impossível que esta verdade preciosa pudesse ser mostrada de maneira tão simples. Paul também produziu o audiolivro original de *O Maior Segredo*, trabalhando ao lado de Tim Patterson na pós-produção e dando vida às palavras reveladores deste livro na forma de áudio.

Minha gratidão à incrível equipe da HarperCollins, cuja animação ao trabalhar neste livro era contagiante. Obrigada à maravilhosa Judith Curr, presidente e Publisher da HarperOne, e ao meu fantástico editor, Gideon Weil. Foi uma alegria trabalhar com ambos. Agradeço a Brian Murray, Terri Leonard, Yvonne Chan, Suzanne Quist, Lainda Adler, Edward Benitez, Aly Mostel, Melinda Mullin, Adrian Morgan, Dwight Been, Anna Brower, Lucile Culver e Rosie Black.

Agradeço ao time internacional da HarperCollins: Chantal Restivo-Alessi, Emily Martin, Juliette Shapland, Catherine Barbosa-Ross e Julianna Wojcik. E também ao pessoal da HarperCollins UK: Charlie Redmayne, Kate Elton, Oliver Malcolm, Katya Shipster, Helen Rochester, Simon Gerrat e Julie MacBrayne. E obrigada também a HarperCollins Global Publishing Partners: Brasil, Espanha, México, Ibérica, Itália, Holanda, França, Alemanha, Polônia, Japão e Nórdicos.

Um agradecimento especial para as seguintes pessoas que me ajudaram com seu feedback de valor incalculável: Peter Foyo, Kim Wall, Hannah Hodgden, Marcy Koltun-Crilley, Mark Weaver e Fred Nalder.

Para a minha família, Peter Byrne, Oku Den, Kevin (Kid) McKemy, Henley McKemy, Sacannah Byrne Cronin e a minha filha Hayley, que foi a força que me colocou na incrível jornada em busca da verdade dezesseis anos atrás. Para minhas queridas irmãs, Pauline Vernon, Glenda Bell e Jan Child, obrigada por me amar e por me permitir amar vocês.

E, por fim, agradeço à minha incrível e bela mestra. Nos últimos quatro anos, suas palavras e seus ensinamentos sobre a verdade radicalmente transformaram a minha vida e me ajudar a ver de maneira clara quem sou de verdade. Este livro precioso está nas suas mãos por causa das doações generosas e da paciência dela em me direcionar. Meu amor por ela não tem limites.

O Início

Após o lançamento de *O Segredo*, em 2006, minha vida se tornou um sonho. Ao praticar religiosamente os princípios do Segredo, minha mente se tornou predominantemente positiva, e, por consequência, meu dia a dia refletia esse estado positivo na minha felicidade, na minha saúde, nos meus relacionamentos e nas minhas finanças. Também descobri em mim um amor e uma gratidão naturais por tudo.

Porém, apesar disso, algo dentro de mim continuava a me instigar a descobrir mais da verdade; algo me impulsionava a dar continuidade à minha busca, embora eu não soubesse ainda pelo quê.

Na época eu não fazia ideia, mas aquele era o primeiro passo de uma jornada que levaria dez anos! Teve início com o estudo da sabedoria de uma antiga tradição europeia, a Ordem Rosacruz, em cujos valorosos ensinamentos me aprofundei por muitos anos. Também passei algum tempo estudando o budismo, as variadas obras de místicos cristãos, teologia, hinduísmo, taoismo e sufismo. Depois de ter estudado as antigas tradições e seus ensinamentos históricos, minha pesquisa se voltou para o presente, e passei a acompanhar mestres mais contemporâneos, como J. Krishnamurti, Robert Adams, Lester Levenson e Ramana Maharshi, assim como alguns que estão vivos até hoje.

Ao longo do caminho, aprendi diversas coisas desconhecidas do grande público. Porém, apesar de fascinantes, nenhuma delas fazia com que eu sentisse que havia encontrado *a* verdade.

Com o passar dos anos, cheguei a desconfiar de que essa busca seria algo presente pelo restante da minha vida. Eu não tinha noção disso na época, mas estava procurando pela verdade no mundo, quando o tempo todo ela estava bem mais perto do que podia imaginar.

Dez anos depois do começo da minha busca, no início de janeiro de 2016, me vi diante de uma situação desafiadora que me deixou bastante decepcionada. Fiquei impressionada com o quão desmedida foi a sensação negativa que eu tive. Como podia me sentir tão mal quando, em geral, me sentia tão bem? No entanto, essa situação decepcionante acabou se tornando o maior presente em minha busca pela verdade.

Para reverter aquele sentimento de decepção, peguei meu iPad e assisti a uma entrevista na Conscious TV com um homem chamado David Bingham. Na época, David ainda não era um mestre, mas apenas uma pessoa comum, como eu e você, só que com uma diferença: depois de vinte anos de busca, ele havia descoberto a verdade!

Assisti à entrevista e logo depois ouvi um podcast que ele tinha recomendado. Prestei muita atenção e, no podcast, aprendi que a maioria das pessoas ignora esta descoberta — não porque seja difícil, mas porque é muito simples. Então, consegui falar com David pelo telefone, e, durante a nossa conversa, ele me falou: "Veja para onde estou apontando. Fica bem aqui." E, de repente, encontrei aquilo que estava procurando. Era *tão* simples, e estava *bem ali*. Assim, de uma hora para outra — depois de dez anos —, minha busca havia terminado! Posso dizer sem hesitar que a felicidade e a alegria que senti com essa descoberta valeram cada segundo de todos os meus anos de trajetória.

Ainda que tivesse levado a vida inteira para fazer essa descoberta, teria valido a pena.

No fim das contas, essa simples descoberta era toda a verdade pela qual eu estava procurando — e que, em última instância, é o que todos procuram, quer estejam cientes disso ou não. Assim que vi a verdade, percebi que ela estava por toda parte. Estava presente em tudo que eu vinha lendo e aprendendo ao longo daquela década; só não tinha olhos para vê-la naquele momento. Havia passado anos em uma busca, indo de uma tradição e filosofia para outra, e o que eu buscava estava bem na minha cara o tempo todo!

Desde o momento em que fiz a descoberta, percebi que era indispensável entendê-la mais a fundo, vivê-la por completo e, então, compartilhá-la com o mundo. Minha expectativa era de poder mostrar uma saída para aqueles que estão passando por dificuldades, de ajudar a acabar com a dor e o sofrimento que tantas pessoas enfrentam e de lançar luz sobre um futuro no qual possamos viver sem ansiedade ou medo.

Eu já vinha anotando tudo que estava aprendendo em uma pasta no meu computador chamada "Meu próximo livro". Foi minha intuição que me inspirou a registrar o que eu vinha descobrindo, na esperança de que, em algum momento, pudesse compartilhar esse conhecimento com o mundo. Foram essas anotações, tão amadas, que, depois de compiladas, se transformaram na base para este livro.

Apenas dois meses depois de descobrir a verdade graças a David Bingham, conheci outra pessoa que teria um impacto enorme na minha vida e na elaboração deste livro. Ela entrou na sala onde eu estava durante um retiro e, quando me aproximei para falar com ela, sua presença teve um efeito tão forte em mim que todo resquício de negatividade da minha vida inteira desapareceu em um instante! Ela foi discípula de um dos meus mestres favoritos de todos os tempos, o já falecido Robert Adams. Naquela instante, soube que ela era minha mestra, aquela que me ajudaria a compreender plenamente e a viver a verdade nesta vida, e ela continuou a ser a minha mestra nos últimos quatro anos. Seus ensinamentos são diretos e maravilhosamente simples, e ela jamais hesita em me avisar quando estou indo na direção errada. Embora tenha pedido para que sua identidade permanecesse em segredo neste livro, compartilhei muitos dos seus ensinamentos transformadores que deram o impulso necessário para que a minha vida se transformasse em uma existência de constante alegria e felicidade. Meu desejo mais profundo é que eles façam o mesmo por você.

Ela, ao lado dos outros mestres apresentados neste livro, me ajudou a sair da escuridão da ignorância ao jogar luz sobre esta descoberta. Cada um desses mestres me ajudou a compreender a verdade que eu descobrira de forma ainda mais profunda e a vivê-la de forma ainda mais plena. O amor que sinto por eles é infinito. Suas palavras — que mudaram a minha vida para sempre — são apresentadas ao longo do livro.

A cada avanço que fizer neste livro, você vai ficar mais feliz, e a sua vida vai ficar mais tranquila, e a felicidade e a tranquilidade não vão parar de crescer nunca. Qualquer medo e incerteza com relação ao futuro não vai mais atormentar você. Qualquer ansiedade e estresse provocados pelas suas batalhas diárias ou pelos acontecimentos ao redor do mundo vão se dissipar. Você pode — e vai — se libertar de todas as formas de sofrimento que estiver vivenciando agora.

Embora sem dúvida existam grandes revelações ao longo destas páginas, há também muitas práticas simples para colocá-las em ação de imediato. Por si só, as práticas valem ouro. Eu sei bem. Sou a prova viva que elas funcionam de forma excelente.

O livro *O Segredo* mostrou como você pode criar qualquer coisa que queira ser, fazer ou ter. Nada disso mudou — ele continua a ser tão verdadeiro quanto sempre foi. Já o livro que você tem em mãos revela a maior descoberta que um ser humano é capaz de fazer, e mostra o caminho para deixar para trás a negatividade, os problemas e tudo mais que você não quiser, rumo a uma vida de felicidade e êxtase permanentes.

Não tem como ficar melhor que isso. Para mim, é um prazer enorme apresentar *O Maior Segredo* a você.

CAPÍTULO 1

ESCONDIDO EM PLENA VISTA

Dentre as bilhões de pessoas do nosso planeta, apenas algumas descobriram a verdade. Essas poucas vivem completamente livres da turbulência e da negatividade do dia a dia, em um estado de paz e felicidade permanente. O restante de nós, quer notemos ou não, está sempre em busca dessa verdade, todos os dias das nossas vidas.

Apesar de O Maior Segredo ter sido escrito e alardeado por grandes sábios, profetas e líderes religiosos ao longo da história, a maioria de nós continua ignorante em relação à maior descoberta que pode ser feita. Entre os que compartilharam essa descoberta estão o Buda, Krishna, Lao-Tsé, Jesus Cristo, Yogananda, Krishnamurti e o Dalai Lama.

Embora cada um deles tenha ensinamentos diferentes, condizentes com a época em que viveram, todos se referem à mesma verdade — a verdade sobre nós e a verdade por trás do nosso mundo.

"Em algumas religiões, essa verdade é expressa de forma menos aberta e clara do que em outras, mas, ainda assim, é a verdade que está no cerne de todas as religiões."
Michael James, em Happiness and the Art of Being

Este grande segredo está à vista de todos. Está mais perto da gente do que a nossa respiração, e mesmo assim não o percebemos! As tradições ancestrais sabiam que, para esconder um segredo, ele deveria ser colocado bem à vista, onde ninguém teria a ideia de procurá-lo. É justamente aí que repousa O Maior Segredo.

"Ele é referido na tradição caxemire do xivaísmo como 'o maior segredo de todos, mais oculto do que o mais oculto, e, ainda assim, mais evidente do que a mais evidente das coisas'."

Rupert Spira, em Being Aware of Being Aware

Há milhares de anos deixamos essa verdade passar despercebida, pois não olhamos para o que estava bem na nossa frente. Somos distraídos pelos nossos problemas, pelo drama nas nossas vidas, pelo ir e vir dos acontecimentos mundiais, e assim deixamos passar a maior descoberta que podemos fazer, e que está diante de nós — uma descoberta que pode nos tirar do sofrimento e nos conduzir a uma felicidade eterna.

Que segredo é esse, com um potencial tão grande para mudar vidas? Que descoberta é essa, que sozinha pode acabar com o sofrimento ou trazer a paz e a felicidade eternas?

De modo bastante simples: um segredo que revela quem você é de verdade.

Você pode achar que já sabe quem é, mas se pensa que é um indivíduo com um nome, uma determinada idade, uma determinada origem étnica, uma profissão, uma trajetória familiar e várias experiências de vida, vai ficar chocado com a revelação de quem é *de verdade*.

"A única forma pela qual alguém pode lhe ajudar é desafiando suas ideias."

Anthony de Mello, S.J., em Awareness: Conversations with the Masters

Todos nós já aceitamos diversas ideias e crenças falsas ao longo da vida, e são essas falsas ideias e crenças que nos mantêm escravizados. Ouvimos falar que há limites e escassez no mundo — que não há dinheiro, tempo, recursos, amor ou saúde suficiente. "A vida é curta", "Você é só um ser humano", "Você precisa trabalhar muito e se esforçar para chegar a algum lugar na vida", "Estamos ficando sem recursos", "O mundo está em crise", "O mundo precisa ser salvo". Porém, no momento em que vir a verdade, essas mentiras vão desmoronar e a sua felicidade vai nascer dos destroços.

Talvez você esteja pensando: "Minha vida está caminhando sem grandes problemas. Então, por que eu ia querer descobrir O Maior Segredo?"

Para citar o maravilhoso Anthony de Mello, S.J.:
"Porque a sua vida é uma bagunça!"

Pode ser que discorde. Da minha parte, também não achava que a minha vida era uma bagunça até Anthony de Mello explicar exatamente o que queria dizer com isso.

Você às vezes fica chateado? Estressado? Preocupado? Já se sentiu ansioso, ofendido ou magoado? Já se sentiu triste, abatido ou desanimado? Já ficou infeliz ou de mau humor? Se vivencia qualquer uma dessas emoções a qualquer momento, então, de acordo com Anthony de Mello, a sua vida é uma bagunça!

Você pode pensar que é normal ser importunado por emoções negativas ao longo do dia, mas a vida não foi feita para ser assim. É possível viver livre de mágoas, aborrecimentos, preocupações e medo, e ter uma felicidade *contínua*.

Em cada uma das circunstâncias desafiadoras com as quais nos deparamos, principalmente as mais difíceis, a vida nos mostra uma forma de escapar do sofrimento. Mas não enxergamos. Ficamos perdidos em meio aos nossos problemas e não reparamos em algo que está bem na nossa cara, uma saída para todos os problemas, para sempre!

"Buscamos a felicidade experiência após experiência, relacionamento após relacionamento, terapia após terapia, workshop após workshop — inclusive nos 'espirituais', que parecem tão promissores, mas nunca abordam a raiz do sofrimento: a ignorância em relação à nossa verdadeira natureza."

Mooji, na segunda edição de White Fire

Todo sofrimento se deve ao fato de acreditarmos em algo sobre nós mesmos que não é verdade. Nós nos equivocamos em relação à nossa própria identidade. *Todo* sofrimento humano é, no fim das contas, uma questão de confusão em relação à identidade.

A verdade é que você não é uma pessoa sem controle algum sobre o que acontece com você e com a sua vida. Você não é uma pessoa que precisa trabalhar em um emprego do qual não gosta só para morrer no fim. Não é uma pessoa que tem que estar sempre sofrendo entre um contracheque e o próximo. Não é uma pessoa que precisa provar algo a si mesmo ou que precisa da aprovação de outra. A verdade é que você não é nem uma pessoa. Você sem dúvida está tendo a *experiência* de ser uma pessoa, mas, no plano maior, não é isso que você é.

"As coisas não são do jeito que parecem ser. Você não é o que pensa ser."

Jan Frazier, em The Freedom of Being

"Às vezes, nós nos concentramos nos sintomas da vida, mas deixamos passar a real causa de tudo — a compreensão e a percepção da nossa verdadeira natureza. Este é o único remédio para tudo que existe."

Mooji

"Toda a infelicidade, o descontentamento e o desespero que experimentamos na vida são causados apenas pela nossa ignorância ou pelo nosso conhecimento confuso de quem ou o que somos de fato. Portanto, se queremos estar livre de todas as formas de miséria e infelicidade, devemos libertar a nós mesmos da nossa ignorância ou do nosso conhecimento confuso do que somos de fato."

Michael James, em Happiness and the Art of Being

A forma como sua vida está é o seu nível de felicidade. Você é feliz? Você é genuinamente feliz o tempo inteiro? Você vive em um contexto contínuo de felicidade? Você deveria ser feliz sempre. A felicidade *é* você. É a sua verdadeira natureza. Quem você realmente é.

"Neste mundo, cada um de nós procura exatamente a mesma coisa. Cada ser, até mesmo os animais, procuram essa coisa. E o que estamos todos procurando? A felicidade sem tristeza. Uma felicidade contínua, sem qualquer resquício de tristeza."

Lester Levenson, na gravação Will Power

Cada ação que executamos, cada decisão que tomamos, é porque achamos que vamos ser mais felizes. Não é coincidência que todos estejamos à procura de felicidade; nessa busca, estamos, no fundo, procurando por nós mesmos — sem perceber!

Não é possível encontrar a felicidade duradoura nas coisas materiais. Cada coisa material aparece e então desaparece; assim, se você investiu sua felicidade em uma coisa material, sua felicidade vai sumir quando a coisa material sumir. Não há nada de errado com coisas materiais (elas são maravilhosas, e você merece ter tudo que deseja na vida), mas é uma grande transformação quando percebemos que jamais vamos encontrar a felicidade duradoura nelas. Se as coisas materiais trouxessem felicidade, então, quando recebêssemos algo realmente desejado, a felicidade nunca mais nos abandonaria. Contudo, não é assim. Em vez disso, experimentamos uma felicidade passageira, e, pouco depois, voltamos à estaca zero — um estado de querer mais coisas, na tentativa de nos sentirmos felizes de novo.

Existe apenas uma forma de encontrar a felicidade duradoura e permanente — descobrir quem você de fato é, porque a sua verdadeira natureza *é* a felicidade.

"O mundo é tão infeliz porque ignora o verdadeiro Eu. A verdadeira natureza do ser humano é a felicidade. A felicidade é inata ao verdadeiro Eu. A busca do ser humano pela felicidade é uma busca inconsciente pelo seu verdadeiro Eu. [...] Quando uma pessoa o encontra, encontra uma felicidade que não tem fim."
Ramana Maharshi

"O único propósito real de estar neste planeta é aprender ou relembrar o nosso estado natural original e sem limitações."
Lester Levenson, na gravação Will Power

"A descoberta do nosso verdadeiro Eu tem o poder de transformar as trevas da ignorância na luz do puro entendimento. É a descoberta mais profunda, importante e radical que existe. É uma árvore que dá frutos na mesma hora. Quando compreendemos quem somos — alguém que vivencia e percebe o mundo —, muitas coisas voltam ao seu lugar. Se o que você busca é a verdade, não é preciso aprender muito. Não é necessário uma quantidade enorme de conhecimento — ela surge a partir da percepção do único e verdadeiro Eu que você é."
Mooji

O ato de lembrar quem você de fato é recebeu muitos nomes ao longo dos séculos. Iluminação, autopercepção, autodescoberta, revelação, despertar, lembrar. É possível que você pense que "iluminação" não é algo feito para você ("Sou só uma pessoa comum"), mas isso não poderia estar mais longe da verdade. Essa descoberta — essa felicidade, essa liberdade — é quem você é, então como pode não ter sido feita para você?

"Abra-se para a possibilidade de experimentar *a verdade* do que você é, neste exato momento. 'Como?', pode estar se perguntando. Percebendo que o único obstáculo no caminho é a sua imaginação — a sua oposição imaginária."
Minha mestra

"Somos livres e não sabemos. Parece algo impossivelmente distante que as coisas sejam assim. Temos certeza absoluta de que estamos à mercê do que dá errado, do que dá certo. E, no entanto (eis a verdade), a liberdade está bem aqui."
Jan Frazier, em The Freedom of Being

"A autopercepção está ao alcance de quem não teve educação alguma, e também ao alcance de um rei. Não existem pré-requisitos para a autopercepção. Ela não está ao alcance apenas daqueles que passaram por anos e anos de prática espiritual — ela está ao alcance mesmo de quem estava só bebendo e fumando o tempo inteiro."
David Bingham, na Conscious TV

Como Vai Ser A Sua Vida?

"Estou falando sobre algo que dificilmente alguém já experimentou. Como posso descrever? A ausência completa de limites, em qualquer direção. A capacidade de fazer qualquer coisa através do simples ato do pensamento. E, mesmo assim, é mais do que isso. Imagine a maior alegria que você pode ter e multiplique por cem."

Lester Levenson, em No Attachments, No Aversions

Ao descobrir plenamente quem você é, você terá uma vida sem problemas, sem aborrecimentos, mágoa, preocupação ou medo. Estará livre do medo da morte, e jamais será controlado ou torturado pela sua mente. As falsas ideias e crenças vão se dissipar. No lugar delas haverá clareza, felicidade, alegria, paz, diversão infinita e deslumbramento — cada segundo um deleite. Você saberá que está seguro e protegido, aconteça o que acontecer.

"E, quando reconhecemos isso […], a felicidade final se estabelece para sempre. E, com ela, vem a imortalidade, o fim dos limites, a paz imperturbável, a liberdade total e tudo o mais que todos procuram."

Lester Levenson, em Happiness Is Free, *volumes 1-5*

Quando você descobre plenamente quem é, a vida se torna fácil — tudo de que você precisa parece vir sem esforço algum da sua parte. Sua vida é tomada por uma leveza, uma fluidez. A vida de carência e limitações fica para trás. Você é apresentado ao poder máximo que tem sobre tudo no mundo.

Quando descobrir plenamente quem é, o sofrimento e a luta vão desaparecer, e o medo e as emoções negativas vão se dissipar. Sua mente estará tranquila. Você será tomado pela alegria, pela positividade, pela realização, por uma sensação de abundância e uma paz imperturbável. Assim será a sua vida.

Nas palavras de Jan Frazier, mãe e professora de literatura:

"Imagine: tudo que pesava sobre você de repente não pesa mais. Pode ser que ainda esteja lá, um fato na sua vida, mas não tem massa nem gravidade. Tudo que sempre lhe causou preocupação agora é só um detalhe na paisagem, como uma árvore, uma nuvem passageira. Cada resquício de turbulência emocional e mental terá acabado: todo o fardo, mesmo aquela parte que o acompanha desde que você se lembra por gente. Algo que era tão familiar quanto um grande amigo — que fazia parte de você tanto quanto a língua que você fala, a cor da sua pele — se foi, total e inexplicavelmente. Nesse vazio surpreendente flui uma alegria silenciosa que o enche de ânimo pela manhã, tarde e noite, que vai a qualquer lugar que você vá, em qualquer circunstância, até no sono. Tudo que você faz se concretiza sem esforço. Você está feliz, mas sem motivo. Nada lhe incomoda. Não sente estresse. Quando surge um problema, sabe o que fazer, então faz e segue em frente. Pessoas que costumavam deixar você maluco não vão mais deixá-lo assim. Você continua a sentir compaixão pelo sofrimento dos outros, mas você mesmo não sofre mais. Atividades que costumavam ser maçantes se tornam divertidas. Você não precisa de terapia; não fica entediado, ansioso nem temperamental. Quando não é necessária à execução de uma tarefa, sua mente está em repouso. Sua vida é realização plena sem que precise fazer nada para preenchê-la [...] e você sabe que não importa o desafio que esteja enfrentando, a paz será mantida — pelo restante da vida. Nunca mais você sentirá medo, desespero, solidão. O que quer que surja no seu caminho, essa alegria sem motivo permanecerá. Imagine."

Jan Frazier, em When Fear Falls Away

Esta é a sua vida com O Maior Segredo de Todos os Tempos. Este é o seu destino.

CAPÍTULO 1 *Resumo*

- *Quer notemos ou não, estamos sempre em busca do Maior Segredo, todos os dias das nossas vidas.*

- *Este grande segredo está à vista de todos, e mesmo assim não o vemos.*

- *Há milhares de anos que deixamos essa verdade passar despercebida, porque somos distraídos pelos nossos problemas, pelas complicações nas nossas vidas, pelo ir e vir dos acontecimentos ao redor do mundo.*

- *Todos já aceitamos muitas ideias e crenças falsas ao longo da vida, e essas ideias e crenças falsas nos mantêm escravizados.*

- *Sempre que sofremos, isso se deve a uma confusão em relação à nossa própria identidade.*

- *A humanidade sofre de uma incompreensão em relação à sua verdadeira natureza.*

- *Você está tendo a experiência de ser uma pessoa, mas, no plano maior, não é isso que você é.*

- *Você deveria ser feliz o tempo todo. A felicidade é a sua verdadeira natureza.*

- *A descoberta de quem você de fato é recebeu muitos nomes: iluminação, auto-percepção, autodescoberta, despertar, lembrar.*

- *Abra-se para a possibilidade de experimentar a verdade do que você é, neste exato momento.*

- *Quando reconhecer plenamente quem é, vai experimentar uma vida sem problemas, tristezas, mágoas, preocupações ou medo, e será tomado pela alegria, pela positividade, pela plenitude, pela abundância e pela paz.*

CAPÍTULO 2

O Maior Segredo é Revelado

"Tão próximo que você é incapaz de ver.
Tão sutil que a sua mente é incapaz de compreender.
Tão simples que você é incapaz de acreditar.
Tão bom que você é incapaz de aceitar."
Loch Kelly, em Shift into Freedom *sobre a tradição*
Shangpa Kagyu do budismo tibetano

Por que tão poucos descobriram a verdade? Por que a maioria de nós não foi capaz de compreender quem é? Como bilhões de pessoas podem ter deixado escapar algo tão vital para atingir a felicidade?

Nós deixamos O Maior Segredo escapar por conta de um pequeno obstáculo: uma crença! Essa única crença nos impediu de realizar a maior descoberta que podemos fazer. A crença de que somos o nosso corpo e a nossa mente.

Você Não é o Seu Corpo

"Viemos a este mundo para ser um corpo a fim de aprendermos que não somos um corpo."
Lester Levenson, em Happiness Is Free, *volumes 1-5*

Assim como você usa um carro para ir de um local a outro, seu corpo é um veículo que você usa para se mover e experimentar o mundo.

"Se você tem um carro, você não diz que é o carro. Por que então, se você tem um corpo, você diz que é o corpo?"
Lester Levenson, em Happiness Is Free, *volumes 1-5*

Como algo material, seu corpo não é consciente. Ele não sabe que é um corpo, mas "você" sabe disso. O seu dedo do pé não sabe que é um dedo do pé, o seu pulso não sabe que é um pulso, a sua cabeça não sabe que é uma cabeça, e o seu cérebro não faz ideia de que é um cérebro, mas "você" conhece cada uma das partes do seu corpo. Como você poderia ser o seu corpo considerando que conhece todas as partes diferentes dele, mas nenhuma delas conhece você?

Foram perguntas desse tipo que permitiram que figuras importantes do passado desvendassem o mistério por trás de quem realmente somos.

"O pior hábito que adquirimos ao longo dos milênios é acreditar que somos este corpo."
Lester Levenson, em Happiness Is Free, *volumes 1-5*

"Nós nos esquecemos do que somos e passamos a nos identificar com objetos. Sou este corpo, portanto vou morrer."
Francis Lucille

"Você tem medo de que, se o corpo não for, você também não é."
Lester Levenson

Acreditar que você é apenas o seu corpo é o que provoca o maior medo da humanidade, o da morte: quando o seu corpo morre, você teme que vai deixar de existir. O corpo é como uma nuvem escura pairando sobre a sua vida.

"Se deseja a imortalidade, desapegue-se do seu corpo."
Lester Levenson, em Happiness Is Free, *volumes 1-5*

O fato de você não ser o seu corpo é uma boa notícia, pois um dia o seu corpo vai chegar ao fim, como acontece com todas as coisas materiais. O mundo é todo feito de coisas materiais e nenhuma delas vai durar para sempre, incluindo o seu corpo, que aparece e desaparece por meio do processo de nascimento e morte. O que você é *de verdade* nunca morre!

"O que você realmente é não pode morrer. O corpo morrerá, mas você não é o seu corpo."
Mooji

"Temos livre-arbítrio para nos identificarmos com o nosso corpo ou com quem realmente somos. O corpo corresponde à dor, o que você é, à alegria infinita."
Lester Levenson, em Happiness Is Free, *volumes 1-5*

A saída para todas as dificuldades começa com o abandono da crença de que você é o seu corpo.

Você Não é a Sua Mente

A voz dentro da sua cabeça não é você, ainda que você provavelmente tenha acreditado nisso durante a maior parte da sua vida. Embora a voz dentro da sua cabeça soe como você, pareça saber muito sobre você e tenha se tornado muito familiar para você, ela definitivamente *não* é você. A voz na sua cabeça é a sua mente, e você não é a sua mente.

"A mente é um conjunto de pensamentos que aparecem e desaparecem constantemente."
Peter Lawry

"Se não há pensamentos, então não há mente. A mente é apenas pensamento."
Lester Levenson, em Happiness Is Free, *volumes 1-5*

Dê uma olhada em si mesmo. Onde está a sua mente se não houver pensamento? Ela não está aí.

"Não há nada lá dentro além de pensamentos e sentimentos, memórias e sensações, mas você é um pensamento? Você é um sentimento?"
Rupert Spira, em uma palestra

Se você fosse um pensamento — digamos, um pensamento de frustração —, então desapareceria quando o pensamento de frustração desaparecesse. Você não é um pensamento, uma sensação ou um sentimento, porque também acabaria quando eles acabassem, mas você continua aqui depois que isso acontece. Você está aqui antes de um pensamento, está aqui antes de um sentimento ou uma sensação, e permanece intacto depois que eles vão embora. Isso fica muito óbvio quando você presta atenção. Sem dúvida vivenciamos pensamentos, sentimentos e sensações, mas não somos nenhuma dessas coisas.

De certa forma, é fácil compreender como falhamos em compreender quem de fato somos, porque o corpo e a mente são uma combinação convincente. A mente produz um fluxo constante de pensamentos, a maioria dos quais inclui a palavra "eu", como se ela fôssemos nós. E talvez você se surpreenda ao saber que todas as nossas sensações corporais também vêm da mente, o que reforça a crença de que somos o nosso corpo.

"A maneira como os outros veem você contribui para a noção que você tem do eu. Quando as coisas acontecem, elas parecem acontecer 'com' você, ou talvez você as tenha provocado. [...] Você se importa com o que acontece por conta do efeito que isso exerce sobre você. Você se 'detém' na esperança de se manter seguro e sustentar uma boa imagem. Você sem dúvida parece real."

Jan Frazier, em The Great Sweetening: Life After Thought

Não é como se você não tivesse um corpo e uma mente, eles apenas não são quem você *realmente* é. Assim como o seu carro, eles são apenas instrumentos afinados que você usa para vivenciar o mundo material.

"Identificar-se com o seu corpo e a sua mente é a única coisa que encobre quem você realmente é. É este erro de identificação que oculta o seu verdadeiro Eu."

Mooji

Você é Mesmo a Pessoa Que Acredita Ser?

"Considerando todo o esforço feito para inflar o ego — a ênfase na autoestima, na reputação, na realização, na aparência física, na aquisição de bens materiais —, é um milagre que o despertar ocorra."

Jan Frazier, em The Freedom of Being

Ego, eu imaginado, eu simulado, eu apartado e eu psicológico são alguns dos nomes que mestres e sábios dão para a nossa identidade equivocada. Todas essas descrições se referem a um corpo e uma mente que, juntos, formam o que chamamos de pessoa. Quando nos referimos a nós mesmos, a maioria está falando dessa pessoa que acreditamos ser.

"Uma pessoa é o que ela vivencia, não o que ela é."
Mooji

"Não existe isso de uma pessoa. Se você diz 'Sou uma pessoa', então tem que dizer qual pessoa — houve um bebê em algum momento, um adolescente, uma criança [...] e todo esse processo logo chegará ao fim."
Deepak Chopra™, M.D.

Sua personalidade está em mudança constante, então, se você é a sua personalidade, qual pessoa é? A zangada, a amorosa, a frustrada, a irritada ou a gentil? Você provavelmente acredita ser todas elas, mas não pode ser, porque, se fosse, a pessoa irritada nunca iria desaparecer, ela estaria sempre aqui. Ou, se realmente fosse a pessoa frustrada, quando ela desaparecesse, um pouco de você desapareceria também. Mas isso não acontece, não é? Você está aqui antes de a pessoa irritada surgir e também está aqui depois que a pessoa irritada desaparece. Está aqui antes que a pessoa frustrada apareça, e está aqui depois que ela desaparece. Obviamente, você não é a sua oscilação de humor ou de personalidade.

"A personalidade é uma ferramenta útil, mas não pode definir quem você é. Quem você é está muito além de quem pensa que é."
Jac O'Keeffe

"O maior obstáculo para descobrir a verdade sobre quem essencialmente somos é a crença de que somos um aglomerado de pensamentos, memórias, sentimentos e sensações. Juntos, essas coisas formam um eu ou uma entidade ilusórios. A crença de que somos essa entidade é o único obstáculo. Todos os nossos problemas psicológicos se devem a esse eu imaginário. Eles sempre estão relacionados ao fato de nos confundirmos quanto a isso."

Rupert Spira, em uma palestra

"A pessoa apenas parece existir em razão da persistente e inquestionável crença de que há uma 'pessoa' de verdade aqui. Mas a pessoa, ou o ego, não pode existir sem acreditar nisso. É mera fantasia. Na verdade, não há pessoa alguma. O único residente desta casa que é o corpo é o Eu puro, ou seja, o que você é de fato. O resto é invenção. Não há dois inquilinos neste corpo, sempre houve apenas um. Acreditar no ego dá uma sensação de realidade, mas isso não é fato, apenas ficção."

Mooji

Qual é o problema de acreditar que somos um ego ou uma pessoa?

Nós nos sentimos insignificantes e extremamente vulneráveis. Temos medo de que coisas ruins aconteçam conosco. Temos medo de ficarmos doentes e velhos, e também da morte. Temos medo de perder as coisas que já conseguimos, e de não ganhar as coisas que desejamos. Vivemos em uma condição de falta, acreditando que tudo é "insuficiente"; dinheiro insuficiente, tempo insuficiente, energia insuficiente, amor, saúde e felicidade insuficientes, e vida insuficiente. Pior ainda, acreditamos que *nós* somos insuficientes. Nada disso é verdade — na realidade, é o oposto da verdade —, mas nunca seremos capazes de experimentar uma felicidade real e duradoura enquanto nos agarrarmos à crença de que somos apenas uma pessoa.

"A tragicomédia da condição humana é o fato de passarmos a maior parte das nossas vidas pensando, sentindo, agindo, percebendo as coisas e nos relacionando em nome de um eu ilusório."

Rupert Spira, em The Ashes of Love

"O ego não é quem você é. Mas ele faz tanto barulho que você não consegue ouvir quem realmente é. Permitir que isso continue, alimentar e regar o seu ego, é uma loucura."

Jan Frazier, em Opening the Door

"Acho que todo mundo está envenenado pela 'pessoalidade' [...] vivendo a vida de modo muito pessoal, encarando a vida de um ponto de vista muito pessoal, levando as coisas para um lado muito pessoal. Reagir à vida de forma pessoal é uma espécie de cegueira. Você não enxerga as coisas da forma certa."

Mooji

É mais provável que você esteja *experimentando* um corpo, *experimentando* uma mente e tendo a *experiência* de ser uma pessoa, mas essas são, na verdade, as menores partes de você e, em última análise, não são você, porque, quando chegam ao fim, o mesmo não acontece com você.

"Não existe nenhuma pessoa dentro de uma pessoa."

Shakti Caterina Maggi

Mas existe um você *verdadeiro*.

"Por que é tão difícil ver através do ego, dispensá-lo — parar de acreditar na solidez desse rapazinho? Por que nos agarramos a esse eu aparentemente real, quando abaixo, ao redor e acima dele, nadando por toda parte, está essa outra realidade maravilhosa que de fato é real, com a qual podemos contar para o nosso sustento, para uma paz perfeita? Por que negar isso a nós mesmos, em nome de algo comparativamente tão insignificante — por algo que causa tantos problemas, inclusive dor?"

Jan Frazier, em Opening the Door

Grandes Farsantes

Os seus pensamentos, seus sentimentos, suas sensações e suas crenças trabalham juntos, sem parar, para convencê-lo de que você é uma pessoa. Somos todos grandes farsantes. Fingimos ser insignificantes. Fingimos ser limitados. Fingimos ser uma pessoa insignificante e limitada que nasce, vive por um tempo, morre, e esse é o fim. Mas isso não poderia estar mais distante da verdade!

"Somos auto-obcecados com um personagem imaginário que não existe."
Shakti Caterina Maggi

Poderíamos dizer que esse personagem imaginário é exatamente como o personagem de um filme. Sabemos que o ator que interpreta o personagem existe, mas o personagem do filme sabe que o ator existe? Não, o personagem do filme é imaginário.

Consolidamos a nossa crença de que somos uma pessoa a cada pensamento. Se você observar qualquer pensamento, vai perceber que existe um "eu" no centro de cada um deles. Esses pensamentos centralizados no "eu" no qual você acredita ser afirmam repetidamente que você é uma pessoa insignificante e limitada.

Quando você acredita que é a voz dentro da sua cabeça, automaticamente acredita em tudo que ela diz, acredita em todos os pensamentos que a sua mente gera.

Pensamentos como:
"Estou ficando velho."
"Estou cansado demais."
"Não sou bom o suficiente."
"Não sou capaz."
"Não tenho tempo suficiente."
"Não sou tão saudável quanto costumava ser."
"Não tenho dinheiro suficiente."
"Não sou inteligente o suficiente."
"Não enxergo tão bem quanto antes."
"Não me sinto amado."
"Ele ou ela não gosta de mim."
"Não sou merecedor disso."
"Tenho medo de morrer."
"Não sei o que fazer."

Todos esses pensamentos são limitações impostas a você pela sua própria mente. Você, quem você é de verdade, é *ilimitado*, o que significa que nada tem poder sobre você!

Minha mestra diz que estamos o tempo todo exercitando a nossa própria insignificância por meio de constantes pensamentos limitados (como os que acabei de listar), e que, se não estivéssemos exercitando isso, enxergaríamos a verdade de quem realmente somos.

Tudo que diz respeito a uma "pessoa" corresponde ao extremo oposto de quem ela realmente é. A pessoa é imperfeita. Quem você é de verdade é perfeito. A pessoa é temporária e limitada. Quem você é de verdade é permanente e ilimitado. A pessoa nasce e morre. Quem você é de verdade nunca nasceu e jamais vai morrer. A pessoa é pessoal e instável. Quem você é de verdade é impessoal e sempre estável. A pessoa muda de humor. Quem você é de verdade é felicidade e paz constantes. A pessoa é cheia de julgamentos e opiniões. Quem você é de verdade é tolerante e aberto a tudo. A pessoa adoece e envelhece. Quem você é de verdade não está sujeito ao envelhecimento, e a doença nunca poderá afetá-lo. A pessoa sofre. Quem você é de verdade está livre de toda dor e sofrimento. A pessoa morre. Quem você é de verdade existe por toda a eternidade.

Trocando a Infelicidade pela Verdade

Há apenas uma maneira de viver feliz e experimentar a alegria duradoura: conhecendo a sua verdadeira natureza. Há apenas uma maneira de abandonar uma vida cheia de problemas, negatividade e discórdia: conhecendo a verdade sobre quem você realmente é.

"Seu eu verdadeiro é infinitamente magnífico e glorioso, completo, perfeito e está sempre em paz, e você fica cego para isso quando admite que é um ego limitado. Abandone os antolhos, o ego, e esteja para sempre em perfeita paz e alegria. Quando se encontrar, terá tudo."
Lester Levenson, em Happiness Is Free, *volumes 1-5*

"A vida não se resume a resolver inúmeros probleminhas, pois eles nunca vão ter fim. A vida nos aponta para a única coisa essencial que acabou sendo esquecida — nosso próprio eu, verdadeiro e imutável. A humanidade como um todo vive em grande parte com a *ideia* equivocada de que somos fundamentalmente uma pessoa com um corpo em oposição ao nosso verdadeiro Eu."

Mooji

"Pode haver tragédia na 'história' das nossas vidas, mas, na verdade, não há tragédia alguma acontecendo conosco. Em última análise, a história existe apenas para nos ensinar essa distinção. No momento em que aprendemos a lição, até mesmo a história muda para se revelar como beleza, amor e inteligência. Não se apegue à noção de que o sofrimento é inevitável. Enquanto estivermos apegados a isso, haverá sofrimento."

Francis Lucille

"Na parábola bíblica, o homem que se identifica com o corpo e a mente é o homem que construiu a sua casa na areia. Perceber a sua verdadeira natureza é construir a sua casa sobre chão firme."

David Bingham

Não existe busca pela verdade porque você já é a verdade. Como poderia buscar a si mesmo? A questão é que a maioria de nós tem a atenção desviada do nosso verdadeiro eu, em vez de olhar para quem somos.

Você alguma vez já viu uma daquelas imagens nas quais é possível enxergar duas coisas diferentes? Ao observar a imagem pela primeira vez, consegue ver claramente uma figura, mas não consegue enxergar a outra. Você tenta, mas a segunda figura parece escapar pois seu foco está na primeira.

Você precisa mudar de perspectiva e suavizar o seu olhar *muito delicadamente* para que a outra imagem se torne visível.

Na famosa imagem do vaso de Rubin, ou você vê duas pessoas olhando uma para a outra, ou vê um vaso. Para enxergar ambas as figuras com clareza você precisa mudar a maneira como olha para a imagem.

Ao longo das nossas vidas, passamos a maior parte do tempo olhando para nós mesmos a partir da perspectiva de que somos um corpo e uma mente — que somos uma pessoa. Mas para enxergar com clareza quem somos, assim como no vaso de Rubin, temos que mudar a nossa perspectiva — muito delicadamente.

A Revelação

Deixe-me fazer uma pergunta simples.

Você está consciente?

Sua resposta deve ter sido "sim". Caso contrário, não estaria consciente da pergunta que acabei de lhe fazer. Deixe-me perguntar de novo.

Você está consciente?

Sim, você está consciente. Você estava consciente quando era um bebê, durante a sua infância, a adolescência e ao longo de toda a vida adulta. Você esteve consciente sua vida inteira.

A consciência é e tem sido a única constante na sua vida. Seu corpo muda sem parar, sua mente muda sem parar, seus pensamentos, seus sentimentos e suas sensações mudam sem parar, mas a única coisa que nunca mudou é a sua consciência disso tudo.

E essa consciência é quem você realmente é.

Você é Consciência.

"Você é consciência. Está tão perto que você não consegue ver. É através dos olhos dela que você vê o mundo ao seu redor."
Jan Frazier, em The Freedom of Being

"Ao dizermos 'eu', estamos condicionados a acreditar que nos referimos ao corpo, quando, na verdade, o 'eu' se refere à Consciência."
David Bingham

Você não é um corpo, uma mente ou um punhado de pensamentos, sentimentos, memórias ou sensações. Você é aquele que está *consciente* do seu corpo, da sua mente, dos seus pensamentos, dos seus sentimentos, das suas memórias e das suas sensações. Você é a própria Consciência.

"No momento em que você se depara com a Consciência, algo em você a reconhece."

Mooji

Você está consciente de que está lendo este livro. Está consciente dos sons ao seu redor. Está consciente do lugar onde se encontra. Está consciente do seu nome. Está consciente do seu corpo e das roupas sobre ele, da sua respiração e das sensações corporais. Está consciente do céu da boca, da sola dos pés e dos dedos. Está consciente da sua mente, dos pensamentos dentro da sua cabeça, dos seus sentimentos e do seu humor.

Na verdade, você não seria capaz de conhecer ou experimentar nem mesmo um aspecto da vida sem a Consciência.

Você é a Consciência que está Consciente de Tudo

A Consciência é o que está consciente de cada experiência da sua vida. Não é a mente ou o corpo que está consciente da sua vida. Você — a Consciência que você é — está consciente da mente, dos pensamentos e do corpo, e qualquer coisa de que você esteja consciente não pode ser você.

O mestre Sailor Bob Adamson ressalta que nós sabemos que existimos — disso não temos dúvida. Bem, a única maneira de sabermos que existimos é tendo a consciência de que existimos. Cometemos o erro de acreditar que a consciência de que existimos vem da mente ou do corpo, o que não é verdade. A consciência de que existimos é o que realmente somos, não a mente ou o corpo.

Por um momento, imagine que você não tem corpo nem mente.

Deixe de lado o seu corpo.

Deixe de lado a sua mente.

Deixe de lado o seu nome.

Deixe de lado a sua história, ou seja, todo o seu passado.

Deixe de lado todas as memórias, todas as crenças e todos os pensamentos.

E observe o que resta.

O que resta é apenas a Consciência.

"Se alguém chamasse a nossa atenção para a folha de papel na qual essas palavras estão escritas, nós de repente tomaríamos consciência dela. Na verdade, sempre estivemos consciente da folha de papel, mas não percebíamos isso devido ao foco exclusivo da nossa atenção nas palavras. A consciência é como a folha de papel."
Rupert Spira, em Being Aware of Being Aware

Assim como a folha de papel, a Consciência está sempre presente no pano de fundo da nossa vida. Costumamos voltar a nossa atenção exclusivamente para a nossa mente, os nossos pensamentos, o nosso corpo e as nossas sensações, porque eles demandam muito a nossa atenção. Mas não seria possível experimentarmos a nossa mente e os pensamentos que derivam dela ou o nosso corpo e as sensações que emanam dele sem que a Consciência estivesse consciente de tudo isso, assim como não seríamos capazes de enxergar nenhuma palavra se não fosse pelo pano de fundo oferecido pelo papel, no qual as palavras foram impressas.

"Volte a sua atenção para este pano de fundo, mesmo que só por um tempinho, e você vai descobrir um mundo absolutamente novo."
Hale Dwoskin

"A consciência é o elemento mais evidente da experiência e, ainda assim, é também o mais negligenciado."
Rupert Spira, em Being Aware of Being Aware

"A despeito da nossa suposição de que tudo nos chega através da mente, um fato muito sutil que em geral negligenciamos é o de que tudo é apreendido diretamente pela consciência. Por exemplo, o mais comum seria dizer 'Eu penso', mas, na verdade, se observarmos com atenção, notamos que há consciência no ato de pensar. [...] Assim, o pensamento não é quem você é; existe algo que está consciente desse pensamento."
David Bingham, na Conscious TV

Quem está olhando através dos seus olhos é a Consciência! Quem está ouvindo através dos seus ouvidos é a Consciência! Sem a Consciência, você não estaria consciente de nada que visse, ouvisse, provasse, cheirasse ou tocasse, e não teria nenhuma experiência das informações que chegam por meio dos sentidos. Os seus sentidos não estão conscientes; é a Consciência que está consciente de todos os seus sentidos.

"O instrumento que utilizamos para ver é inerte por si só, incapaz de enxergar. Um telescópio é inútil sem um astrônomo por trás. Ele não enxerga nada sozinho. Da mesma forma, o instrumento da mente não enxerga nada sozinho."
Francis Lucille, em The Perfume of Silence

"Você é a Consciência que está consciente de tudo."
David Bingham

"Esta consciência individual — nossa sensação de ser 'uma pessoa, um indivíduo à parte, uma mente ou uma alma preso aos limites do corpo' — é meramente fantasia, uma versão falsa e distorcida da nossa pura consciência 'Eu sou', mas, por outro lado, é a raiz de todo desejo e de todo sofrimento."
Michael James, em Happiness and The Art of Being

"O 'eu' que imaginamos que somos é só outro pensamento."
Kalyani Lawry

"Nossa verdadeira natureza, o eu real e infinito que somos, é simplesmente o que somos sem a mente."
Lester Levenson, em Happiness Is Free*, volumes 1-5*

Nossa mente distorce o mundo que enxergamos empilhando véus de pensamentos e crenças. Cada véu mental distorce ainda mais o mundo e nos impede de ver as coisas como são.

"A mente nunca vai descobrir quem você é porque a mente é o disfarce de quem você é. Só ao abrir mão da mente você vai descobrir quem é."
Lester Levenson, em Happiness Is Free, *volumes 1-5*

Tentar enxergar a verdade com a mente é como tentar ver alguma coisa com uma venda nos olhos. Você precisa tirar a venda para poder ver, assim como precisa deixar a mente de lado para enxergar quem você é de fato.

"Tentar compreender a consciência com a mente é como tentar iluminar o sol com uma vela."
Mooji, na segunda edição de White Fire

Mesmo sem perceber, a maioria de nós está constantemente focada no ruído dos pensamentos que vêm da mente. A Consciência está sempre presente, mas, quando há uma interrupção do ruído dos pensamentos, é muito mais fácil notá-la. Quando os pensamentos cessam, nos tornamos plenamente conscientes da Consciência, que sempre esteve lá, em silêncio e em segundo plano.

O Disfarce da Mente

"Estamos tão acostumados a conhecer a nós mesmos a partir dos nossos problemas, dos nossos dramas e das nossas obsessões, que a Consciência Desperta — a nossa verdadeira natureza e virtude fundamental — é algo difícil de aceitar enquanto identidade real."
Loch Kelly, em Shift Into Freedom

"Consciência Desperta" é o nome que Loch Kelly dá para a Consciência, e é apenas um dos muitos nomes diferentes usados por mestres do passado e do presente para descrever o que você é: Consciência, Consciência Desperta, Percepção, Consciência Cósmica, Ser, Natureza-Buda, Consciência Crística, Consciência Divina, Espírito, o Eu, Ser Infinito, Inteligência Infinita, Ser Ilimitado, Natureza Verdadeira, Ser Verdadeiro, Presença de Deus, Presença, Consciência da Presença, Percepção Pura, Consciência Pura e muitos outros. Todas essas palavras descrevem exatamente a mesma coisa — a Consciência que você é.

"Somos tão inteligentes e as nossas vidas são tão complexas que é difícil acreditar que simplesmente descobrir a Consciência Desperta poderia ser a solução para o nosso sofrimento. É também difícil de acreditar que a descoberta mais importante já está aqui conosco; não temos que viver uma odisseia para encontrá-la, conquistá-la ou desenvolvê-la."
Loch Kelly, em Shift Into Freedom

"A grande piada é a simplicidade de tudo isso."
Peter Lawry

É uma imensa piada, pois o que somos de verdade, aquilo que está mais perto de nós do que o ar que respiramos, conseguiu escapar à maioria dos seres humanos por milhares de anos.

Deixamos passar a descoberta mais simples e mais maravilhosa porque os nossos pensamentos têm um efeito hipnótico sobre a gente, o que nos mantém dentro da nossa cabeça, alheios à Consciência. Em geral, voltamos a nossa atenção apenas para os pensamentos na nossa mente e a tudo que percebemos por meio dos nossos sentidos, e, com a atenção desviada, deixamos passar aquilo que está sempre presente — a Consciência.

"Não há nada de errado com o corpo ou a mente. O único problema é que identificamos essas coisas com a nossa consciência, essa presença observadora. Enquanto confundirmos essa presença observadora com o corpo e a mente, não há espaço para que essa presença se revele em todo o seu esplendor."

Francis Lucille, em The Perfume of Silence

"Por um momento, elimine a persona. É só outra peça de roupa, puída e acabada pelos anos de uso."

Pamela Wilson

"Acreditar que o nosso Eu — a Consciência luminosa, aberta, vazia — compartilha os limites e o destino da mente e do corpo é como acreditar que a tela compartilha os limites e o destino do personagem de um filme."

Rupert Spira, em The Ashes of Love

"As pessoas acreditam que são um ser humano, mas são o Ser Infinito. Elas podem ter confundido a sua identidade, mas aquilo que realmente são nunca as abandonou e está sempre presente."

David Bingham

Sua mente aparece apenas quando você tem um pensamento, e desaparece depois que o pensamento chega ao fim. Mas a Consciência nunca aparece e desaparece. Ela está sempre presente, mesmo quando você está dormindo. Você tem a *sensação* de que a Consciência desaparece quando dorme e de que ela volta quando acorda, e, ainda assim, você sabe quando teve uma excelente noite de sono, porque diz algo como: "Dormi muito bem, feito um bebê." Como você sabe que dormiu feito um bebê? Sabe porque a Consciência estava consciente e presente o tempo inteiro enquanto você estava dormindo.

Quando você se pergunta "Estou consciente?", na mesma hora a Consciência é notada. Ela não apareceu, ela sempre esteve presente. Você simplesmente desviou a sua atenção do *pensamento* e a direcionou para a *Consciência*, e, assim, se tornou plenamente consciente.

Tirando a Consciência, qualquer coisa acaba ou morre em algum momento. Sem exceção, todas as coisas materiais e mundanas vêm e vão, aparecem e desaparecem. Tudo na Terra — corpos, cidades, países, oceanos — aparece e, no final, desaparece. Pare para pensar sobre isso por um instante e você verá que nada dura para sempre. Tudo é temporário, inclusive o próprio planeta Terra, o sol, o sistema solar, até mesmo os universos. Nada está aqui para sempre, exceto por uma coisa: a Consciência. Você, a Consciência, está aqui para sempre!

Nossos corpos envelhecem, mas, quando as pessoas ficam mais velhas, elas dizem que não sentem que envelheceram, que se sentem da mesma maneira que sempre se sentiram. Elas admitem que sentem o seu corpo mais velho, mas, lá no fundo, sentem como se não tivessem envelhecido nada. Sem perceber, elas conseguem sentir a Consciência atemporal que realmente são.

"Quando você se lembra do seu passado, da sua infância, quem é essa pessoa de que se lembra? Eu lembro. O "eu" é aquele que conhece a experiência, que se lembra da experiência."
*Deepak Chopra*TM, *M.D.*

O "eu" ao qual nos referimos aos 5, 15, 30 e 60 anos é a Consciência sem idade que testemunhou toda a nossa vida.

Cinco anos: "Eu... vou para a escola em breve."

Quinze anos: "Eu... mal posso esperar para me formar."

Trinta anos: "Eu… acabei de ficar noivo."

Sessenta anos: "Eu… ainda não estou pronto para me aposentar."

"Autopercepção é notar que os aspectos em transformação na superfície da vida surgem da permanente e sempre estável Consciência, aquilo que a pessoa verdadeiramente é e sempre foi."
David Bingham, na Conscious TV

"Isso não é conto de fadas. Essa possibilidade é tão real quanto uma árvore, tão real quanto a política, quanto as raízes que prendem a árvore ao solo, tão reais quanto o jornal e as suas reportagens. É tão real quanto o seu time de futebol, o preço da gasolina, uma briga com os seus sogros, tão real quanto a mensalidade que você paga na faculdade […] A verdade é que é mais real do que essas coisas, e, mesmo assim, mal a vemos, dificilmente a sentimos, muito menos a conhecemos de maneira própria."
Jan Frazier, em Opening the Door

"Não há uma pessoa sequer que não esteja em contato direto com uma Existência infinita ou em posse de uma Existência infinita que seja absolutamente perfeita, feliz e eterna. Não há uma pessoa sequer que não esteja em contato direto com isso nesse momento! Mas, por aprendermos de maneira incorreta, por aceitarmos, ao longo do tempo, a ideia de limitação e por prestarmos atenção às aparências, a visão acabou ficando obscurecida. Cobrimos este Ser Infinito que somos com conceitos como 'Eu sou este corpo físico', ou 'Eu sou esta mente', ou 'Com este corpo físico e esta mente, tenho milhares de problemas e dificuldades'."

Lester Levenson, em Happiness Is Free, *volumes 1-5*

"Este é o mesmo estado que a maioria das religiões chamam de 'libertação' ou 'salvação', porque apenas neste estado de verdadeiro autoconhecimento é que somos libertos ou salvos das amarras que nos fazem acreditar que somos um indivíduo à parte, uma consciência que está confinada dentro dos limites de um corpo físico."

Michael James, em Happiness and The Art of Being

A Percepção ou a Consciência também é conhecida em algumas religiões como a presença de Deus. Quando uma pessoa tem uma experiência divina — uma experiência na qual sente que foi tocada por Deus —, a mente individual e o ego ficam de lado, o que então revela a Consciência ou a presença divina. Há um sentimento de amor puro, paz infinita, beleza, felicidade e êxtase que não pode ser confundido com nada além da divindade.

"Na realidade, somos o Ser Infinito e não o ser humano. Somos o Ser Infinito tendo uma experiência humana."

David Bingham

De muitas maneiras, a verdade sobre a vida e sobre nós mesmos é o oposto do que nos foi ensinado. Em vez de olhar para fora em busca de felicidade, de realização, de respostas e verdade, precisamos olhar para dentro, porque somente nesta direção seremos capazes de encontrar tudo que estamos procurando. Nosso mundo espetacular e tudo que há nele deve ser desfrutado ao máximo, mas a felicidade, a alegria, o amor, a paz, a inteligência e a liberdade que formam a Consciência — sua natureza real — só podem ser encontrados dentro de você.

CAPÍTULO 2 *Resumo*

- Uma única crença nos impediu de fazer a maior das descobertas — a crença de que somos o nosso corpo e a nossa mente.

- Você não é o seu corpo; seu corpo é um veículo que você usa para experimentar o mundo. Seu corpo não é consciente.

- Acreditar que você é o seu corpo provoca o maior medo da humanidade, o medo da morte.

- O que você é de verdade nunca morre.

- Você não é a sua mente; a mente é feita apenas de pensamentos. Se não houver pensamentos, então não há mente.

- Você não é um pensamento, uma sensação ou um sentimento, pois, se fosse, acabaria quando eles acabassem.

- Seu corpo e sua mente juntos formam o que chamamos de pessoa — o eu imaginado.

- Uma pessoa é o que você experimenta, não o que você é.

- Nunca seremos capazes de experimentar a felicidade real e duradoura enquanto mantivermos a crença de que somos uma pessoa.

- Você está experimentando um corpo, experimentando uma mente e tendo a experiência de ser uma pessoa, mas essas coisas não são você.

- *Fingimos ser uma pessoa insignificante e limitada por pensamentos constantes de limitação.*

- *Aquilo que você é de verdade não tem limites, o que significa que absolutamente nada tem poder sobre você.*

- *Você esteve consciente a vida inteira; a Consciência é e tem sido a única constante na sua vida.*

- *Essa consciência é quem você realmente é. Você é Consciência.*

- *Você não conseguiria conhecer ou experimentar qualquer aspecto da vida sem a Consciência.*

- *Não é a mente nem o corpo que está consciente da sua vida. É a Consciência que está consciente de cada experiência de vida que você tem.*

- *Imagine que você não tem corpo nem mente, nome, história de vida, passado, memória, crenças ou pensamentos. O que resta é a Consciência.*

- *Em geral, voltamos a nossa atenção apenas aos pensamentos e a tudo que percebemos, e, dessa forma, deixamos passar aquilo que está sempre presente — a Consciência.*

- *A Consciência está presente mesmo quando você está dormindo.*

- *Quando você se pergunta "Estou consciente?", na mesma hora a Consciência é notada. Ela não surgiu, ela sempre esteve lá.*

- *Com exceção da Consciência, qualquer coisa acaba ou morre.*

- *O "eu" ao qual nos referimos em qualquer idade é o "eu" sem idade da Consciência, que testemunhou toda a nossa vida.*

- *Em vez de olhar para fora em busca de felicidade, precisamos nos virar e olhar para dentro, porque apenas nesta direção seremos capazes de encontrar tudo que estamos procurando.*

CAPÍTULO 3

A REVELAÇÃO CONTINUA

Você *é* Consciência, não uma pessoa que *está consciente*. Você é a própria Consciência Infinita.

Como disse Francis Lucille, sem que haja um astrônomo para olhar através de um telescópio, o objeto não passa de um instrumento. O seu corpo e a sua mente também são instrumentos. Então, quem está olhando através dos seus olhos? Você, Consciência! Quem ouve os sons? Você, Consciência! O seu corpo está vivo por causa da Consciência — a Consciência é, em suma, a força vital que dá vida ao seu corpo.

"O erro fundamental é acreditar que o ser humano está experimentando a consciência. Isso é incorreto. Apenas a consciência está consciente; portanto, apenas a consciência pode experimentar a consciência. Se eu lhe perguntasse 'Você está consciente?', você faria uma pausa para conferir a sua experiência e responderia: 'Sim.' Esse 'sim' é uma afirmação da consciência que a consciência tem de si mesma. Não é um corpo ou um cérebro que experimentam estar consciente. O corpo e o cérebro são *experimentados*; não *experimentam*."
Rupert Spira, na palestra "The Light of Consciousness"

Existe Apenas Um de Nós: Nosso Nome é "Eu"

"Apenas a consciência é consciente. Os seres humanos não são conscientes. Cães e gatos não são conscientes. Os animais não são conscientes. Apenas a consciência é consciente. Existe apenas uma consciência, assim como existe apenas um espaço no universo. Essa consciência é refratada em cada uma das nossas mentes, e, como resultado, cada uma das nossas mentes parece ter o próprio pacote de consciência, assim como cada edifício parece conter o próprio espaço. Mas a consciência com que cada uma das nossas mentes é consciente da sua experiência é a única consciência que há, a consciência infinita, assim como o espaço em todos os edifícios é o mesmo espaço."

Rupert Spira, na palestra "Awareness is the Only Aware Entity in Existence"

Esta Consciência Infinita — esta Consciência única — é você, e cada uma das outras pessoas que existem! Existe apenas uma Consciência, e é a mesma que opera através de todas as pessoas. Existe apenas um de nós. Nosso nome é "eu".

"Existe apenas um único 'eu', que é o que você é, o que todos são."
David Bingham

Essa Consciência única atua por meio de todas as formas de vida. Todas as formas físicas são apenas veículos distintos para a gloriosa e singular Consciência Infinita. Este é o verdadeiro significado do ensinamento: "Somos um só."

Consciência e Percepção são palavras diferentes usadas para descrever a mesma coisa. Ambas descrevem você.

"Essa consciência tão corriqueira, que consiste em ouvir essas palavras neste momento e compreendê-las, passa a ser também a consciência divina que vive todas as vidas. Não existe uma única entidade isolada em todo o cosmos."

Francis Lucille, em Truth Love Beauty

"Nós somos Um. Existe apenas um em nós. Existe apenas um enquanto nós."

Mooji, na segunda edição de White Fire

É um pouco como as trilhões de células individuais que vivem, trabalham e atuam no seu corpo. Sem que cada uma dessas células individuais esteja ciente, elas, na realidade, fazem parte de um único humano. Há bilhões de seres no mundo, operando como indivíduos, e sem que maioria deles esteja ciente, eles são um único Ser Infinito.

"Fomos ensinados a acreditar que essa consciência é particular e limitada, e que cada pessoa é dotada de uma consciência privada e isolada, de modo que existiriam muitas consciências. Nunca paramos para pensar que, embora seja fácil conferir se dois objetos estão separados, pois é possível ver as suas fronteiras e os seus limites, não é possível encontrar qualquer tipo de fronteira ou limite na consciência."

Francis Lucille, em Truth Love Beauty

Se existe apenas uma Consciência, uma Percepção, por que você não está consciente dos pensamentos ou das sensações nos corpos das outras pessoas? Ou do que um animal na África está vendo ou ouvindo? Porque a Consciência ou Percepção foi canalizada através da sua mente, de modo a ficar localizada no seu corpo. Além disso, a crença de que você é um indivíduo isolado o impede de experimentar a plena expansão da Consciência. No entanto, quando sente compaixão ou amor por outra pessoa, está muito mais sintonizado com essa Consciência única do que imagina.

Ao longo da vida, todos tivemos vislumbres dessa Consciência, mas, com muita frequência, nós os menosprezamos, julgando que é pura imaginação ou algum truque da nossa mente. Quer nos lembremos deles ou não, já tivemos experiências que nós conseguimos explicar, muitas vezes quando éramos crianças. Pode ter sido um momento em que você sentiu que se expandiu até ficar enorme e sentiu como se o mundo estivesse dentro de você, ou talvez tenha visto ou ouvido algo que ninguém mais conseguia ver ou ouvir.

As crianças estão mais sintonizadas com a Consciência porque a mente delas ainda não soterrou a Consciência com uma série de conceitos e crenças a respeito da mente. Com menos de 2 anos e meio, as crianças são Consciência pura e simples. Elas não têm a experiência de existir de forma isolada, razão pela qual se referem a si mesmas na terceira pessoa. Ao ver a si mesma em uma fotografia, Sarah, de 2 anos, aponta o dedo e diz: "É a Sarah!" Ela não diz "Sou eu" porque ainda não *experimenta a si mesma* como "eu", uma pessoa separada. A experiência dela é de que só existe Um, e ela é esse Um, assim como todo mundo.

"Não existe nada lá fora além da nossa consciência. Existe apenas uma única consciência, e nós somos ela."
Lester Levenson, em Happiness Is Free, *volumes 1-5*

A Percepção ou Consciência está em todo o seu corpo e em toda parte fora dele; a Consciência não pode estar contida no seu corpo, porque ela não tem forma. Seria como tentar conter o espaço em um vaso; o espaço, é claro, está dentro do vaso e em toda parte fora dele. Na verdade, o vaso está *no espaço*, assim como todos os corpos estão *na Consciência*. Absolutamente tudo está contido na Consciência, e é por essa razão que os seres iluminados experimentam a vida como se fossem tudo — porque *são* tudo. E, enquanto Consciência, você também é!

"Por trás dos seus olhos está a mesma consciência, a única consciência que está por trás de Jesus, de Buda, de Krishna e de todos os olhos."
Minha mestra

Reflita sobre isso. A sua Consciência é a mesma Consciência de todos os grandes seres; esse é o seu grau de proximidade com eles. Eles não estão longe. Você é *um* com eles.

"O mistério, a magia disso tudo, é que essa consciência banal, que julgamos tão natural, mesmo quando negamos a existência dela, passa a ser a consciência do próprio universo, seu verdadeiro centro."
Francis Lucille, em Truth Love Beauty

Como Continuar a Ser Consciência

Não há um processo para se tornar a Consciência que você é; não é algo que precisa ser alcançado. Não é algo que algumas pessoas têm e você não. Você *já é Consciência*, neste instante. Pode ter se esquecido disso, pode ter acreditado que era apenas uma pessoa por toda a sua vida, mas isso não muda em nada o que você realmente é.

"Você pode perder qualquer coisa, mas jamais perderá a consciência que você é."
Mooji, em Vaster Than Sky, Greater Than Space

Quando um ser humano passa a ficar ciente de que é a Consciência Infinita, a experiência de viver no mundo material se torna de tirar o fôlego. Como a mente deles foi para segundo plano, enquanto a Consciência está no primeiro, eles não estão sujeitos mais à turbulência da mente, de modo que se sentem sempre leves, felizes o tempo todo, e riem bastante.

Eles estão existindo em pura felicidade e êxtase, e vivendo as suas vidas assim todos os dias. Os problemas se tornam virtualmente inexistentes, tudo com que eles sonharam se concretiza, e como eles estão vivendo de forma plena enquanto Consciência, estão cientes de sua imortalidade. Eles sabem que são tudo e, ainda assim, sabem que não são afetados por nada. Não existe vida melhor que essa!

"Cada simples coisa que você faz ou vê — cada coisa comum e corriqueira — carrega essa sensação formigante de existir. Às vezes, é difícil não chorar diante das coisas menos espetaculares. As linhas das paredes em relação ao plano do chão. Sua horizontalidade. A textura do tapete. O som de um carro passando. O cheiro da pele do seu braço. Cada uma dessas coisas é um milagre."
Jan Frazier, em Opening the Door

No entanto, você tem que experimentar por si mesmo. Ouvir isso de outra pessoa funciona como um guia, apontando para a direção certa. É como um agente de viagens descrevendo o Everest. Você não tem como saber o que o Everest é até chegar lá e experimentar por si mesmo — só então vai saber.

"Na verdade, é impossível não continuar a ser este espaço aberto de consciência. Porém, continuar a sê-lo de maneira convicta é outra questão."

Francis Lucille, em The Perfume of Silence

"É impossível abrir mão da consciência — você apenas se distrai dela pelo hábito de voltar a sua atenção para o pensamento."

Peter Lawry

Podemos voltar a nossa atenção para os pensamentos dentro da nossa cabeça ou para a Consciência que somos. É uma simples questão de orientar a atenção. Volte o seu foco para a Consciência sempre que possível, em vez de dar atenção ao pensamento, e estará no caminho certo rumo à liberdade e à bem-aventurança absolutas.

A Prática da Consciência — Três Passos Para o Êxtase

A Prática da Consciência é o que uso e aplico sempre para continuar a ser Consciência plena. Esta prática não tem a ver com *se tornar* Consciência, porque isso você já é. Ela serve para que você possa viver como a Consciência que é. São apenas três passos simples para uma vida de liberdade completa e duradoura, de felicidade extasiante.

Passo 1: Pergunte a si mesmo: "Estou consciente?"
Passo 2: Perceba a Consciência.
Passo 3: Continue a ser Consciência.

Passo 1: Pergunte a si mesmo: "Estou consciente?"

Não tente responder isso com a mente; pensamentos não vão ajudá-lo a experimentar a Consciência. Cada vez que fizer a si mesmo essa pergunta, a sua atenção será desviada da mente e dos pensamentos e colocada na Consciência. Quando você se pergunta: "Estou consciente?", a Consciência se faz presente na mesma hora. A mente pode voltar logo com um pensamento, mas, caso isso aconteça, basta se fazer a pergunta de novo. Quanto mais você fizer essa pergunta a si mesmo, mais tempo permanecerá como Consciência e mais silenciosos serão os seus pensamentos e a sua mente.

"Perceba que a mente, com todas as suas mudanças, tem um pano de fundo imutável."
Hale Dwoskin

Após se perguntar "Estou consciente?", a primeira coisa que vai sentir, provavelmente, é uma sensação de alívio, pois qualquer tipo de resistência que você estava mantendo na mente e no corpo começa a derreter. Com o tempo, depois de se fazer essa pergunta repetidas vezes, a sensação de alívio se transformará em um sentimento sutil de felicidade pacífica. Pode ser que você tenha uma sensação de serenidade à medida que a sua mente se acalma. Pode ser que sinta uma enxurrada de alegria percorrendo a área ao redor do seu coração.

Esse alívio se deve ao fato de a sua mente ir para segundo plano. Quanto mais tempo a mente permanece em segundo plano, com a Consciência no primeiro, maior será o alívio, e maior a felicidade que vai sentir. O êxtase chega quando a Consciência permanece em primeiro plano e a mente é colocada no seu devido lugar.

Lembre-se de que a Consciência não tem forma, por isso não é algo que você possa segurar. É como o amor. Você sabe que o amor existe, mas consegue pegá-lo? Pode sentir as sensações de amor no seu coração, mas não pode tocá-lo com as próprias mãos. Com a Consciência é a mesma coisa. Você vai experimentar no seu corpo as sensações de alívio e de felicidade que surgem por meio da Consciência, mas não poderá tocá-las ou segurá-las.

No começo, pode parecer difícil continuar a ser Consciência, por causa do hábito que temos de pensar.

"Assim que percebermos isso, podemos nos perguntar de novo: 'Estou consciente?', de modo a convidar a mente a se afastar do conhecimento ou da experiência e a ir em direção à essência ou à fonte deles."
Rupert Spira, em Being Aware of Being Aware

Uma forma de romper com o hábito de pensar sem parar é sendo a Consciência Infinita que você já é. Você não tem como usar a mente para parar a própria mente e romper com o hábito de pensar. É por isso que muitas pessoas não conseguem meditar: elas tentam usar a mente para acalmar a mente em vez de permitir o ir e vir dos pensamentos sem dedicar atenção alguma a eles.

A maioria das pessoas não consegue ter praticamente nenhum descanso das suas mentes, pois ela lança um pensamento atrás do outro sem parar, e as pessoas não percebem que podem desviar a atenção desses pensamentos. Libertar-se da mente proporciona um alívio glorioso, e isso acontece quando você consegue apenas observar os pensamentos, em vez de ser atraído de modo a segui-los e passar a acreditar neles.

Passo 2: Perceba a Consciência

Depois de praticar o primeiro passo por um tempo relativamente curto, você vai chegar ao ponto em que percebe a Consciência de forma automática. Não vai precisar mais se perguntar "Estou consciente?", pois, no momento em que pensar em Consciência, ela estará em primeiro plano e a sua mente vai recuar para o segundo plano.

"Permita que a experiência de estar consciente ocupe o palco e deixe que pensamentos, imagens, sentimentos, sensações e percepções fiquem nos bastidores. Simplesmente observe a experiência de estar consciente. Neste lugar residem a paz e a felicidade que todas as pessoas desejam."
Rupert Spira, em Being Aware of Being Aware

Transfira a sua atenção para a Consciência ao notar a Consciência diversas vezes ao longo do dia. Não leva muito tempo até você começar a experimentar uma sensação singular de alívio e felicidade a cada vez que deixar para trás a turbulência da mente em direção à profunda paz da Consciência.

"Há uma bifurcação a cada momento, com caminhos que levam você a ser o que é ou o que não é. A cada segundo, você está fazendo uma escolha."
Minha mestra

Se você tem a sensação de que a sua mente está encobrindo a sua Consciência ou de que a perdeu e não sabe como recuperá-la, pergunte a si mesmo: "O que está consciente de que a Consciência está perdida?" É a Consciência! E, assim, você estará consciente da Consciência.

Se você acha que ainda não conseguiu descobrir a consciência, pergunte a si mesmo: "O que está consciente de que ainda não consegui descobrir a Consciência?" É a Consciência também! E, assim, você está consciente da Consciência.

"Você já é a própria consciência, não aquilo que está tentando se tornar consciente."
Mooji

Você está consciente do seu corpo agora mesmo? É a Consciência que está consciente do seu corpo. Você está consciente da cadeira em que está sentado? É a Consciência que está consciente da cadeira. Você está consciente da sua respiração? É a Consciência que está consciente da sua respiração. Simples assim.

"Sempre que puder, traga a si mesmo de volta para a consciência do momento presente. Faça isso centenas de vezes por dia, pois, não esqueça, todo o seu poder está na sua consciência deste poder."
De *O Segredo*

Passo 3: Continue a ser Consciência

"No começo, você tem a sensação de fazer meras visitas à consciência, mas, à medida que vai descobrindo o quão real ela é, todo sentimento de medo ou de separação se desfaz."
Mooji

Continuar a ser Consciência tem tudo a ver com onde você dedica a sua atenção. Minha mestra oferece uma forma simples de pensar sobre isso. A mente opera de maneira semelhante à lente de uma câmera. Ela tem uma função de zoom automático, e foca a nossa atenção nas coisas até vê-las em detalhes, da mesma forma que você daria zoom para fazer um close. Na maior parte do tempo, a mente funciona com o zoom ativado, e vemos o mundo por meio dessa atenção focalizada, o que resulta em uma perspectiva reduzida e distorcida do mundo. Porém, quando você deseja tirar uma foto de um espaço aberto, você tira o zoom e abre a lente ao máximo, para fazer uma foto panorâmica. Da mesma forma, se abrir a sua atenção ao máximo — de modo que ela não fique focada apenas em um detalhe —, a Consciência se revela. É uma forma simples de continuar a ser Consciência e deixar que tudo mais seja como é.

Para colocar isso em prática, dê uma olhada ao seu redor agora, encontre algo próximo para focar e concentre a sua atenção apenas nessa coisa. Você pode usar a sua mão se quiser. Agora, abra a sua atenção até que ela se amplie bastante, abarcando o máximo possível do seu entorno, sem focar em nada em particular. Perceba uma sensação imediata de alívio e relaxamento no corpo. Isso acontece porque a nossa mente está sempre focada, e é preciso um esforço hercúleo para mantê-la assim. Logo, quando você abre a sua atenção até que ela fique o mais ampla possível, a mente se dissolve no segundo plano enquanto a Consciência passa para o primeiro. Você experimenta uma sensação de alívio porque a Consciência não *exige esforço*; ela tudo vê e tudo sabe sem que haja necessidade alguma de foco.

"A visão equivocada que você tem de si mesmo, aquela pessoa que quer fazer as coisas acontecerem, tem zero poder. No entanto, ela não para de falar: 'Eu tenho que resolver algumas coisas.' Quem resolve as coisas é a Consciência."
Minha mestra

"Quanto menos acreditar que é você quem faz as coisas, mais você se torna uma força infalível para o bem no mundo."
Hale Dwoskin

Eu costumava ser uma grande fazedora de coisas. Eu me orgulhava da minha capacidade de resolver problemas, equilibrando várias tarefas ao mesmo tempo. Isso se tornou a minha identidade. Eu era a Rainha do Fazer! E então, claro, o Universo canalizou um número infinito de coisas para eu fazer, por conta da crença que eu tinha em relação a mim mesma.

Porém, tudo isso mudou conforme fui abandonando aquilo que acreditava ser e continuei a ser a Consciência que sou. Não apenas sou mais feliz do que nunca agora, mas, além disso, em vez de fazer, fazer, fazer o tempo todo, as coisas parecem se resolver sozinhas naturalmente, sem que eu precise cuidar delas. Se acabo fazendo alguma coisa, é como se nem estivesse fazendo, de tão pouco esforço que isso envolve. A vida se torna milagrosa!

Dedique no mínimo cinco minutos por dia para focar a sua atenção na Consciência. Você pode fazer isso ao acordar, antes de dormir ou em qualquer outro momento que seja melhor para você. Se você se dedicar tanto quanto eu a ter uma vida milagrosa, vai prestar atenção à Consciência com mais frequência, mas mesmo cinco minutos por dia farão uma enorme diferença na sua vida. É tão fácil quanto parece.

Lembre-se de que esta não é uma prática para se tornar Consciência, porque você já é a Consciência Infinita. Na verdade, é uma prática para fazer você parar de se identificar com a mente e o corpo, coisas que você não é.

"A princípio, parece difícil continuar voltando a essa presença acolhedora, mas chega o momento em que isso se torna tão natural que parece difícil sair dela. É uma sensação de estar em casa."
Francis Lucille, em The Perfume of Silence

Você vai chegar a um ponto em que saberá com certeza que está no reino da divindade, ou, para aqueles que preferem usar a palavra "Deus", na presença de Deus. Estar na presença de Deus ou no reino da divindade é estar além da mente.

"Ao se livrar dos olhos do ego, você passa a ver com os olhos de Deus."
Mooji

Depois de seguir esses passos por algum tempo, você vai descobrir que a Consciência se torna automaticamente mais dominante e presente dentro de você, e a sua mente se aquieta ainda mais. Outros indicativos de que está indo bem são: sua vida ficará mais fácil e menos cansativa, você vai sentir mais tranquilidade, coisas que costumavam incomodá-lo não mais incomodam, vai sentir mais calma, suas emoções estarão mais estáveis, e você vai notar que as emoções negativas não vão desestabilizá-lo com a mesma facilidade. De fato, você vai ter uma sensação de felicidade que jamais sentiu antes. Vai estar mais atento à propensão da sua mente para reclamar, criticar e focar nos aspectos negativos. E vai notar que não mais permitirá que a sua mente tenha controle sobre você como já aconteceu, porque você desviou a atenção dos seus pensamentos.

"Ao aprendermos que somos o Eu perfeito, que não somos estes corpo e esta mente limitados, todos os problemas se resolvem de imediato."
Lester Levenson, em Happiness Is Free, *volumes 1-5*

A Consciência é maior do que todas as coisas de que ela está consciente. A pessoa é limitada, mas a Consciência é ilimitada, o que significa que *tudo* é possível. Nada será capaz de restringir você; nada, absolutamente nada, tem poder sobre você!

"Temos a sensação de que a nossa consciência é limitada, porém, quando investigamos mais a fundo, vemos que é impossível. Aquilo

que está consciente das limitações transcende as limitações, e, portanto, está além delas."
Francis Lucille, em The Perfume of Silence

Nada pode perturbar a Consciência! Nenhuma quantidade de problemas é capaz de perturbar você. A negatividade não tem como alcançá-lo. Guerras não têm como afetá-lo. Você, enquanto Consciência, está sempre seguro e bem. Você é intocável, inatingível, imperecível. O que poderia ameaçá-lo? Você contém tudo. Você é tudo. Dê o melhor de si e comece a continuar sendo a Consciência que você já é, focando a sua atenção nela com frequência, para que possa viver uma vida maravilhosa.

"Aí, então, você nunca mais será iludido pelas aparentes limitações do mundo. Você as verá como um sonho, como uma fachada, porque sabe que a sua própria Existência não tem limites."
Lester Levenson, em Happiness Is Free, *volumes 1-5*

CAPÍTULO 3 *Resumo*

- *Você é Consciência, não uma pessoa que está consciente de algo.*

- *Sem um astrônomo para olhar através de um telescópio, o objeto não passa de um instrumento, assim como o seu corpo e a sua mente são instrumentos da Consciência.*

- *Existe apenas uma Consciência, e é a mesma Consciência que opera através de todas as pessoas.*

- *Você não está consciente dos pensamentos ou das sensações nos corpos das outras pessoas porque a Consciência foi canalizada através da sua mente, de modo a ficar localizada no seu corpo.*

- *A Consciência ou a percepção está em todo o seu corpo e em toda parte fora dele.*

- *Podemos voltar a nossa atenção para os pensamentos dentro da nossa cabeça ou para a Consciência que somos. Foque a sua atenção na Consciência sempre que puder.*

- *A Prática da Consciência*
  Passo 1: Pergunte a si mesmo: "Estou consciente?"
  Passo 2: Perceba a Consciência
  Passo 3: Continue a ser Consciência

- *A maneira de romper de uma vez por todas com o hábito de pensar sem parar é sendo a Consciência que você é.*

- *Transfira a sua atenção para a Consciência simplesmente ao observá-la várias vezes por dia.*

- *Uma forma simples de continuar a ser Consciência: amplie a sua atenção o máximo possível, como se ela fosse a lente de uma câmera, de modo que não esteja focada apenas em um detalhe; assim, a Consciência será revelada.*

- *Para praticar, encontre algo próximo para focar e concentre a sua atenção apenas nisso. Então, abra a sua atenção até que ela se amplie bastante, abarcando o máximo possível do seu entorno, sem focar em nada em particular.*

CAPÍTULO 4

Você está Sonhando . . . É Hora de Acordar

De acordo com muitos mestres espirituais e antigas tradições, o nosso mundo inteiro, a sua vida e a vida de todas as pessoas são apenas um sonho. Eles não dizem que o nosso mundo e tudo nele é *como* um sonho, mas que é, literalmente, feito da mesma substância que os nossos sonhos, e que é tão ilusório quanto um sonho. Quando você se encontra em permanente estado de Consciência, com certeza saberá que a sua vida e o mundo não são a realidade na qual acreditava — mas um sonho.

"Esta vida é um sonho; estamos sonhando que somos uma pessoa vivendo em um mundo que nos convencemos ser real. Não percebemos que é tudo um sonho. O mundo inteiro, como é visto neste momento, não passa de um sonho ou uma ilusão que nunca existiu. A verdade está logo depois do mundo exterior."
Lester Levenson, em Happiness Is Free, *volumes 1-5*

"Devemos estar abertos à possibilidade de que isso seja um sonho, e, quando o fazemos, tudo muda de forma drástica. No fim das contas, de fato é um sonho. Se essa experiência de vigília for vista assim, então o nosso comportamento muda e descobriremos que a resposta dada pelos personagens ou pela situação nesse sonho também muda."
Francis Lucille, em The Perfume of Silence

"Nesse momento, estamos em um sonho lúcido. E parte do sonho é o que chamamos de mente, corpo e universo."
Deepak Chopra™, M.D.

"E o sonho é ininterrupto, sendo virtualmente impossível para qualquer pessoa acordar."
Minha mestra

Durante a noite, nos seus sonhos, a sua mente cria o seu corpo, outras pessoas (algumas que você conhece, outras não), cidades, vilarejos, casas, veículos, alimentos, objetos, árvores, natureza, animais, o sol, as estrelas e o céu. Também cria a passagem do tempo, o dia, a noite, vozes, sons e todas as circunstâncias e situações que acontecem no seu sonho. A sua mente cria um mundo inteiro, cria uma versão de você dentro do sonho, e faz tudo parecer tão real que você sequer questiona — até acordar! Só então percebe que se tratava de um sonho.

"Você provavelmente já notou uma das principais coisas a respeito de um sonho. Quase sempre, o 'você' no sonho não percebe que está em um sonho. É uma coisa curiosa sobre sonhar. Os personagens em um sonho sempre supõem que estão completamente acordados! Os personagens dos sonhos não estão acordados. As experiências em um sonho não são reais. Porém, no sonho, nada disso foi percebido. Observe outra coisa sobre o sonho. Até onde os seus personagens sabem, não há nada além do sonho. Os personagens dos sonhos não fazem ideia de que existe outro tipo real de despertar. O personagem de um sonho não faz ideia do que está faltando."
Peter Dziuban, em Simply Notice

"Enquanto vivemos a experiência de um sonho, tudo parece real. Se vemos um tigre, sentimos medo porque não sabemos que estamos criando aquele tigre. Se soubéssemos disso, provavelmente não teríamos medo, não é? Isso demonstra que uma ilusão pode parecer bastante real enquanto estamos sujeitos a ela, ainda que, ao nos darmos conta da sua natureza ilusória, entendamos que fomos nós que a criamos o tempo todo."

Francis Lucille, em Truth Love Beauty

Mesmo que você esteja consciente de que o mundo é um sonho, você continua sujeito ao seu caráter físico e ao seu próprio corpo físico. Você não vai pular do alto de um prédio, pois o prédio, o chão, o seu corpo e a gravidade são todos feitos da mesma matéria onírica, e você vai sentir a queda! Como um mestre disse certa vez, se você vir na minha direção e me beliscar em um sonho, eu vou sentir, porque é um beliscão onírico!

"Em um sonho, dez anos podem passar em um minuto. Você pode ter um bebê e, de repente, estar levando uma criança para a escola. Quando acorda, vê que o corpo no sonho era uma ilusão, e o tempo daquela

experiência também era uma ilusão, mas, do ponto de vista do sonho, parecia ser real."
Francis Lucille, em The Perfume of Silence

"Se tomarmos o estado onírico como exemplo, pode haver um sonho que cubra um período de cinquenta anos, mas acordamos e nos damos conta de que aquilo não aconteceu de verdade. Só parecia real enquanto havia identificação com o estado onírico de consciência. O estado de vigília também é apenas uma peça muito convincente que a consciência está produzindo."
David Bingham, na Conscious TV

"As leis da física são as leis que se aplicam a este sonhar acordado. Durante a noite, nos seus sonhos, as leis da física são diferentes. É por isso que você pode voar nos sonhos noturnos!"
Francis Lucille, em The Perfume of Silence

Não importa o que aconteça no sonho "terreno", o fim é o mesmo para todos nós: acordamos e descobrimos que foi tudo um sonho! É por isso que os mestres espirituais nos orientam a "despertar". Isso significa acordar da ilusão e perceber que é tudo um sonho. Quando despertamos para a verdade, descobrimos que ninguém nunca se machucou ou sofreu e que ninguém morreu; exatamente como quando você acorda apavorado após ter um pesadelo e se dá conta, aliviado, de que ninguém se feriu e de que nada de ruim aconteceu, era apenas um sonho.

"Se você é capaz de ir ao cinema e assistir a um filme de guerra e sofrimento, e depois dizer 'Que filme maravilhoso!', então você consegue olhar para esta vida como uma sessão de cinema cósmica. Esteja preparado para todo tipo de experiência que possa acontecer, tendo em vista que tudo não passa de um sonho."
Paramahansa Yogananda, em A eterna busca do homem

"Ver o mundo como um sonho é um excelente exercício, que ajuda você a romper com a sua aparente concretude."
Francis Lucille

Despertando

"A maior cura é despertar daquilo que não somos."
Mooji

"É como desviar os olhos de uma coisa para outra. É sutil. É como soltar o ar. Quando estiver pronto, você vai fazê-lo. Não diga a si mesmo que nunca estará pronto. Não diga a si mesmo que é impossível. Está acontecendo ao seu redor, com pessoas como você. Elas não estão mais preocupadas, embora costumassem estar. Elas ainda estão vivendo as suas vidas. Estão transbordando de alegria. Vivem uma vida tranquila, não importa o que esteja acontecendo. Não sinta inveja delas. Não duvide delas. Passe a ser como elas. Você vai se sentir feliz. E não vai conseguir entender por que se permitiu ser do outro jeito por tanto tempo."
Jan Frazier, em Opening the Door

Posso afirmar com certeza absoluta que passei várias décadas da minha vida dormindo. Sei que estava dormindo porque consigo apontar o dia, o momento e a circunstância exatos em que despertei! Desde então, tive muitos pequenos despertares e outro grande despertar. Despertar é como sair de uma névoa: de repente, as coisas clareiam e você consegue ver tudo sem nada para atrapalhar.

Algumas pessoas despertaram deitadas em um sofá, caminhando pelo estacionamento em direção ao carro, ouvindo o som de um pássaro ou algo que um mestre dizia, ou lendo algo específico. Muitos despertaram em meio a um acontecimento terrível ou durante uma crise pessoal, quando chegaram ao fundo do poço. E, para todos, foi apenas quando despertaram que perceberam — estavam dormindo.

"A maioria das pessoas, mesmo que não saibam disso, estão dormindo. Elas nascem dormindo, vivem dormindo, se casam durante o sono, criam os filhos durante o sono, morrem durante o sono sem jamais despertar. Elas vivem vidas mecânicas, pensamentos mecânicos — em geral, de outra pessoa —, emoções mecânicas, ações mecânicas, reações mecânicas. Elas nunca compreendem o encanto e a beleza disso que chamamos de existência humana."

Anthony de Mello, S.J., em Awareness: Conversations with the Masters

Nossa mente é mecânica, como um programa de computador, por isso, se somos regidos pela mente, então a nossa vida é mecânica também. Talvez você esteja sempre sem dinheiro. Isso é resultado de uma mente mecânica repetindo os mesmos pensamentos de "dinheiro insuficiente" sem parar. Você fortalece esses pensamentos ao acreditar neles e, assim, continua sentindo que nunca tem dinheiro. Este é o trabalho dos pensamentos limitantes da mente, ao passo que a Consciência é abundância absoluta.

Quando você acordar e começar a viver a vida enquanto Consciência, a sua vida será algo além de qualquer coisa que você conseguir imaginar nesse momento. Você vai descobrir que o mundo é absolutamente magnífico, repleto de beleza e encanto, e verá com clareza que tudo está nos eixos, nada está fora do lugar e que está tudo bem. Quando a nossa mente está no comando da nossa vida, somos impedidos de ver o mundo como ele é de verdade.

A mente ególatra discorda veementemente da maioria das coisas e dos objetos. Por meio do seu egocentrismo e da incapacidade de ver o panorama completo, ela vai julgar, criticar e encontrar falhas e, devido à sua perspectiva limitada da vida, vai perceber os problemas.

"Despertar é desagradável, sabe? Você está bem e confortável na cama. É irritante ser despertado. É por isso que o sábio guru não tentará despertar ninguém. Espero estar sendo sábio aqui e não estar fazendo nenhuma tentativa de despertá-lo se estiver dormindo. Na verdade, isso não é da minha conta, embora, de tempos em tempos, eu vá lhe dizer: 'Acorde!'"
Anthony de Mello, S.J., em Awareness: Conversations with the Masters

Existe um propósito na vida para cada um de nós — despertar para quem somos, a Consciência, e apreciar esse incrível espetáculo que é o mundo. Ao despertar, você *estará* no mundo, mas não *será* dele, o que significa que estará completamente livre dos desafios do mundo.

Como expliquei nos três passos da Prática da Consciência no capítulo anterior, depois de despertar para a verdade da Consciência, o último passo é continuar a ser Consciência plena e não ser trazido de volta para a mente e o ego. Algumas pessoas despertam de repente e ficam assim para sempre, mas, para outras, o despertar parece ser um processo. Todas, porém, dizem que o processo de despertar se aprofunda infinitamente.

"Não dá mais para dizer que isso é só para os santos, para os monges zen ou que é algo que você deve esperar várias vidas para obter. Ou que é apenas para os mais dedicados praticantes da espiritualidade, ou para pessoas que não se contentam com a vida material, ou para pessoas que acreditam em uma determinada coisa. [...] Saiba que você pode ir lá, pode estar lá, pode viver uma vida sem ônus. Você não tem que conquistar ou merecer isso. É de graça, já está aqui. Não é uma recompensa. É inato."
Jan Frazier, em Opening the Door

A saída para *toda* negatividade e o caminho para a felicidade eterna é despertar para quem você é de verdade. Esse é o destino de cada ser humano na Terra. É o *seu* destino. Você pode transformar a sua vida agora!

A Montanha da Consciência

Há muitos anos, o Imperator da Ordem Rosacruz Europeia dividiu comigo uma metáfora para me ajudar a compreender os níveis de Percepção e Consciência. Ele a chamou de "a montanha da consciência".

Se você está no sopé de uma montanha em um vale, não consegue ver muito longe. Sua perspectiva é estreita e limitada, e não dá para ver o que tem depois de uma curva. Como você não sabe o que há além do vale, há um grande medo do desconhecido.

Conforme você escala a montanha, porém, começa a notar mudanças. A sua perspectiva de vida se expande conforme você sobe, porque consegue ver mais longe e para além de algumas das coisas que estavam bloqueando a sua visão lá embaixo. As coisas parecem diferentes um pouco mais para cima, porque você consegue vê-las mais claramente, e embora ainda esteja com medo, esse sentimento não é tão intenso quanto quando você estava no vale.

Subindo a montanha, a atmosfera é diferente, a vegetação é diferente e você consegue ver muito mais longe do que antes. A vida parece bastante diferente aqui e, como agora você consegue ver diversas coisas que antes estavam escondidas, o medo do desconhecido diminui ainda mais.

Quando chega ao topo da montanha, consegue ver tudo, em todas as direções. Nada está escondido. Sua visão do mundo e além é expandida em todas as direções. Você consegue ver as pessoas no vale e a perspectiva limitada delas, e, de onde está, sabe que elas não têm o que temer. Também consegue ver as pessoas que estão em diversos estágios da escalada e as várias limitações das suas perspectivas. E de onde você está, no topo da montanha, consegue ver a beleza e a perfeição de absolutamente tudo. Percebe que nada está fora de lugar e que não há nada para ninguém se preocupar ou temer. O espetáculo, a maravilha e o mistério da vida revelados a você são simplesmente magníficos e, quando as pessoas no vale puderem ver a magnificência do que você pode ver, elas também serão livres.

"Quando estamos no topo de uma montanha ou olhamos para as estrelas, sentimos o infinito, que é o que de fato somos, e por que tantas pessoas anseiam por essa sensação de expansão."
David Bingham

"Em um nível mais elevado de consciência, nada relacionado à mente individual importa, pois você está no topo da montanha do seu próprio ser e tudo que há abaixo de você são nuvens passageiras. Você chega a um ponto em que nada importa! Nada, nada, nada! E tudo é apenas perfeição."
Mooji, na segunda edição de White Fire

Agora que você sabe quem é, você iniciou o processo de despertar! O único obstáculo para ser quem você é para sempre é a sua mente. Ela é o seu maior poder no mundo material, porque pode gerar qualquer coisa material, situação ou circunstância que desejar, mas, se acreditar nos pensamentos negativos dela, estará usando o seu poder criativo contra si mesmo. Não há nada de errado com a sua mente, ela só se torna um problema quando você acredita que ela é quem você é.

Quando a sua mente tentar falar no seu nome, lembre-se de que a voz que você ouve em sua cabeça não é você. A sua mente não é sequer uma entidade de fato, mas um processo — um processo mecânico. Ela é apenas feita de pensamentos, e os pensamentos que produz são provenientes de programas formados pelas suas crenças e mantidas na sua mente subconsciente. A mente subconsciente é onde depositamos as nossas crenças, a nossa memória, os nossos traços de personalidade, os processos automáticos e hábitos que temos, e ela opera de modo não muito diferente de um computador. Ela é completamente mecânica.

Sua mente subconsciente recebe informações da mente consciente, que é a sua mente pensante, e aceita todos os dados que a mente pensante deposita nela. A mente subconsciente não discrimina nenhuma informação que entra — na verdade, ela considera que *tudo que a mente pensante acredita é verdade.*

Então, basicamente, a nossa mente recicla pensamentos de acordo com as nossas crenças e nos mantém prisioneiros desses pensamentos, limitando profundamente a nossa vida — até o momento em que despertamos e percebemos que não somos os nossos pensamentos e a nossa mente!

"Você prefere jogar o jogo da limitação ou ser livre? Essa pergunta simples é a chave para abandonar a nossa obsessão em sermos corpos-mentes limitados. Se você acredita que é o seu corpo-mente e as histórias que conta a si mesmo e aos outros sobre ser esse corpomente, então prefere jogar o jogo da limitação."

Hale Dwoskin, em Happiness is Free

O primeiro passo para a liberdade é dado quando entendemos que os nossos pensamentos criam a nossa vida. O que se manifesta é aquilo que você pensa. Você *não terá* a vida que deseja se voltar a sua atenção a pensamentos relacionados ao que *não deseja*. E *terá* a vida que deseja se voltar a sua atenção apenas aos pensamentos relacionados ao que *deseja!* Quando você entende isso plenamente, se torna muito consciente dos seus pensamentos, e isso o coloca no caminho do despertar, porque a consciência que você tem dos seus pensamentos não apenas o impede de acreditar em pensamentos negativos, mas significa que você está se tornando mais consciente.

O livro e o documentário *O Segredo* explicam o poder que você tem ao criar a sua vida em todos os aspectos — saúde, relacionamentos, dinheiro, trabalho, felicidade e até mesmo o mundo — através dos seus pensamentos. Se você ainda não compreende o poder fenomenal que os seus pensamentos têm, sugiro que consiga um exemplar de *O Segredo* ou pegue emprestado de um amigo ou em uma biblioteca. *O Segredo* mudou a vida de dezenas de milhões de pessoas, e se tornar mais consciente dos seus pensamentos é um excelente primeiro passo no maravilhoso processo de despertar para o que de fato somos.

CAPÍTULO 4 *Resumo*

- *Esta vida é um sonho. O mundo inteiro não passa de um sonho-ilusão.*

- *Durante a noite, nos seus sonhos, a sua mente cria um mundo inteiro e faz tudo parecer tão real que você sequer questiona nada — até o momento em que acorda.*

- *O estado de vigília também é apenas uma peça extremamente convincente que a consciência está produzindo.*

- *A mente é mecânica, então, se somos regidos pela nossa mente, consequentemente a nossa vida é mecânica.*

- *Quando a nossa mente está no comando da nossa vida, somos impedidos de ver o mundo como ele realmente é.*

- *Ao despertar, você estará no mundo, porém não será do mundo.*

- *A montanha da consciência é uma metáfora para a consciência: a perspectiva que você tem da vida se expande conforme você sobe. Do topo da montanha, consegue ver a beleza e a perfeição e absolutamente tudo.*

- *A sua mente é feita apenas de pensamentos, e os pensamentos que ela produz são provenientes de programas formados pelas suas crenças e mantidas na sua mente subconsciente.*

- *A mente subconsciente é o depósito das nossas crenças, da nossa memória, dos nossos traços de personalidade, dos nossos processos automáticos e hábitos; ela opera de modo similar ao de um computador.*

- *O primeiro passo para a liberdade é dado quando entendemos que os nossos pensamentos criam a nossa vida. O que se manifesta é aquilo que você pensa.*

LIBERTAR-SE DA MENTE

"Não é preciso que a mente esteja quieta. Tudo que importa é você não dar ouvidos ao que ela está dizendo ou acreditar nessas coisas como se fosse verdade."

Jan Frazier, em The Great Sweetening: Life After Thought

Sua mente é uma ferramenta incrível para criar a vida da forma que você deseja. Não são o seu psicanalista ou seu terapeuta que vão fazer isso, embora concedamos a eles esse tipo de autoridade sobre nós quando lhes damos ouvidos e acreditamos que todos os seus pensamentos são verdade. O hábito de acreditar nos nossos próprios pensamentos nos priva de sermos capazes de viver na magnitude e na glória da nossa verdadeira natureza, a Consciência. Isso nos impede de ter uma vida de felicidade constante, uma vida em que tudo de que precisamos chega às nossas mãos na hora certa.

A humanidade sofreu muito e por tempo demais por causa das nossas mentes. Já é hora de colocá-la no seu devido lugar, para que ela não mais seja a ditadora das nossas vidas. Quando pararmos de viver a partir e através da mente, começamos a viver a partir do nosso verdadeiro eu, a Consciência, e a nossa vida se tornará um verdadeiro paraíso na terra, livre de sofrimento e da negatividade.

"Todos os problemas que achamos que estão 'lá fora' nada mais
são do que uma percepção equivocada gerada pelos nossos
próprios pensamentos."
Byron Katie, em Loving What Is

"A forma mais poderosa de eliminar a negatividade é perceber que você
não é a mente. Uma vez que percebe isso, a negatividade não tem mais
onde se ancorar, e se dissolve."
Hale Dwoskin

A maioria das pessoas acredita que as situações negativas vêm de fora; elas
acreditam que são os outros indivíduos, as circunstâncias ou os acontecimentos ao redor do mundo que provocam as situações negativas nas suas
vidas. Só que nada é intrinsecamente bom ou ruim, como nos disse Sha-
kespeare: "O bem ou o mal não existem, senão quando assim pensamos."

Os seus pensamentos em relação a uma pessoa, circunstância ou situação
são a fonte das situações negativas na sua vida, e não a pessoa, a circunstância ou a situação. Portanto, entender um pouco como funcionam as
engrenagens da mente vai ajudá-lo a se libertar dos julgamentos negativos equivocados que ela produz, e aí você poderá empregá-la no seu
verdadeiro papel — o de criar a vida que você quer.

"O pensamento existe para você pedir o que deseja, não para você se
render a ele. A mente está lá para receber o pedido e fazer com que ele
apareça para você. O pensamento não é necessário para mais nada,
porque quem cuida de todo o restante é a Consciência."
Minha mestra

"Se, desse momento em diante, você visse apenas o que deseja, então
isso seria tudo que conseguiria. Mas você mantém na mente as coisas
que não deseja. Você luta para eliminar essas coisas e, dessa forma,

as perpetua. Portanto, é necessário abandonar o negativo e colocar o positivo no lugar, se deseja uma vida feliz e positiva."
Lester Levenson, em Happiness Is Free, *volumes 1-5*

O que, de modo mais exato, é a mente? Primeiro, é importante entender que a mente não é o cérebro. Seu cérebro não pensa. Os cientistas não foram capazes de encontrar um único pensamento no cérebro — a única coisa que conseguem ver é a atividade elétrica gerada pelos pensamentos. O pensamento vem da mente. Sua mente é toda feita de pensamento. Se não houver pensamento, não haverá mente. Simples assim. Sua mente não pode sequer manter dois pensamentos ao mesmo tempo. Você sabe que é impossível para ela prestar atenção a uma conversa e ler algo no celular ao mesmo tempo. A mente não é multitarefa, por mais que você acredite nisso; ela só é capaz de sustentar um pensamento por vez.

No entanto, um único pensamento, seja positivo ou negativo, ganha um potencial enorme quando você acredita nele.

"Se prefere sofrer, continue a acreditar nos seus pensamentos mais estressantes. No entanto, se prefere ser feliz, questione esses pensamentos."
Byron Katie, em A Mind at Home with Itself

A maior parte das pessoas acredita nos próprios pensamentos como se fossem fatos, o que explica por que a vida é tão estressante e desafiadora para tanta gente. Ninguém nos fala que os nossos pensamentos são apenas ruído mental, *não* a realidade. No entanto, se escolhermos acreditar neles, eles se *tornarão* a nossa realidade!

A mente é o grande realizador da nossa vida física, e ela vai realizar todos e quaisquer pensamentos nos quais acreditarmos, sejam positivos ou negativos, sejam sobre o que queremos ou o que não queremos. Os pensamentos positivos não são prejudiciais à sua vida porque estão mais próximos da sua verdadeira natureza; são os negativos que provocam sofrimento e estresse. Portanto, precisamos nos tornar particularmente conscientes deles.

Como a mente é mecânica, o pensamento negativo pode facilmente se transformar em um padrão fixo. Se você der ouvidos aos pensamentos negativos e criar uma identidade com eles, será sugado e ficará perdido nos seus pensamentos, como se estivesse em um transe hipnótico. Seus pensamentos vão conduzi-lo constantemente para dentro da sua cabeça, longe do que está acontecendo de verdade no mundo.

"Você acredita que é a sua mente. Isso é ilusão. O instrumento tomou conta de você."

Eckhart Tolle, em O poder do agora

É como se estivéssemos em um jogo de realidade virtual, mas nos esquecêssemos de que estamos usando os óculos de realidade virtual. Ficamos estressados e sofremos devido às circunstâncias desafiadoras do mundo virtual; no entanto, bastaria tirar os óculos para perceber que o mundo virtual não é de verdade. É a mesma coisa com os nossos pensamentos. Quando acreditamos neles, somos sugados na mesma hora para dentro de um filme imaginário na nossa cabeça, e não experimentamos mais o mundo como ele é de fato.

"Todos os pensamentos são mentiras. A única verdade é aquilo que está consciente deles."

Minha mestra

"A consciência observa, o pensamento julga."

Rupert Spira, em The Ashes of Love

Os pensamentos também são responsáveis por gerar os nossos sentimentos, e, por sua vez, esses sentimentos vão gerar mais pensamentos. Quando temos um pensamento triste, ele provoca um sentimento de tristeza, e o sentimento de tristeza provoca o surgimento de outros pensamentos tristes. Acabamos enxergando a vida através de um véu de desgosto, onde tudo nos parece melancólico e não podemos ver o que *realmente* está acontecendo no mundo.

"A mente é a consciência revestida de limitações. Originalmente, você é ilimitado e perfeito. Só depois aceita as limitações e se torna a mente."
Ramana Maharshi

Se você não programou deliberadamente a sua mente para pensar positivo, ela vai, com frequência, disparar pensamentos negativos que o depreciam e o limitam. "Eu não deveria ter feito aquilo", "Onde eu estava com a cabeça?", "Foi uma coisa completamente estúpida", "Estou perdendo o meu tempo", "Não sei fazer isso".

"A mente é cheia de 'Nãos!', 'Tarde demais!', 'Cedo demais!', 'Rápido demais!', 'Lento demais!'. A mente nunca para."
Minha mestra

"Não é que a mente seja má. O problema é que ela tende a funcionar no automático, uma máquina que não conseguimos descobrir como desligar. Na maioria das vezes, nem sequer percebemos que está ligada. Seu conteúdo em eterno looping é como música de elevador, que quase ninguém nota, como a estática de fundo de algo fora de sintonia. Como a mente nos acompanha a todo lugar, a tentação de sempre usá-la é avassaladora. Ela funciona assim porque pode. Como um martelo utilizado da forma errada, a mente hiperativa golpeia de maneira aleatória tudo que vê, sem deixar passar nenhuma oportunidade de julgar, recusar, interpretar, criar identificação, remoer ou de inventar histórias."
Jan Frazier, em The Freedom of Being

Essa mente funcionando no automático também vai lhe dizer constantemente que existe escassez na sua vida e no mundo — escassez de dinheiro, de saúde, de amor, de tempo, de recursos — e que não há como contornar isso. Se você acreditar, essa será a sua experiência.

Por sorte, a sua mente também é uma ferramenta magnífica. Seus pensamentos positivos sobre o que você deseja podem não apenas mudar a sua vida, mas também lhe proporcionar uma enorme felicidade e alegria. Se você pensasse apenas nos seus desejos, sua vida seria incrível. Porém, muitos ficam empacados no padrão viciante de acreditar em pensamentos negativos, e libertar-se desse ciclo de pensamentos negativos não é apenas necessário como também pode ser feito com bastante facilidade: sua Consciência vai ajudá-lo a se libertar.

Não Acredite em Quem só Traz Problemas

Não há nada de errado com a mente; os problemas só começam quando acreditamos nos pensamentos negativos dela. Quando você se sente preocupado, é porque acredita em pensamentos de preocupação. Quando você se sente hesitante, é porque acredita em pensamentos de dúvida. Quando você se sente ansioso, triste, desanimado, com medo, decepcionado, irritado, impaciente, vingativo, deprimido, com ódio ou qualquer emoção negativa, é porque acredita nos seus pensamentos! E conforme se apega a essas emoções ao continuar acreditando nos seus pensamentos, a mente vai lhe dar cada vez mais disso. Um sentimento de depressão produzirá mais pensamentos depressivos, oferecendo uma perspectiva deprimente em relação às pessoas, às circunstâncias e às situações, o que faz com que você se sinta ainda mais deprimido, e assim por diante.

"O pensamento é tão esperto, tão astuto, que distorce tudo para a própria conveniência."
J. Krishnamurti, em Freedom from the Known

Quando acreditamos nos pensamentos negativos da mente, somos atraídos para o filme imaginário dentro da nossa cabeça, e com certeza vamos experimentar mais estresse e sofrimento.

"O desespero autoinfligido surge quando acreditamos nos pensamentos negativos!"
Minha mestra

"Você é responsável por tudo que sente. São os seus sentimentos, são os seus pensamentos. É você que ativa eles, pensa neles, e ninguém mais além de você pode fazer isso — mas você age como se não tivesse controle algum! Você abre uma torneira que deságua dentro da sua cabeça e diz: "Ah, alguém está me molhando todo." É você que abre a torneira e que está molhando a si mesmo. Portanto, a sua atitude deveria ser a de assumir responsabilidade total pelo que lhe acontece. Ao ver as coisas pela ótica do

'Sou eu que estou fazendo isso', vai ver que é verdade! E então, quando perceber que está se torturando, vai dizer: 'Meu Deus, como posso ser tão idiota?' e vai parar. E, em vez de se torturar, vai passar a se fazer feliz."

Lester Levenson, em Happiness Is Free, *volumes 1-5*

Assumir a responsabilidade por tudo na nossa vida também significa não culpar nada nem ninguém por algo que aconteceu. E isso significa não culpar a si mesmo. A culpa é apenas outra programação repetitiva da mente. O seu verdadeiro Eu não culpa nunca — só a mente faz isso. O que vai libertar você do hábito que a mente tem de culpar e criticar é entender que a sua *mente é* a única responsável pelos julgamentos negativos, e então parar de acreditar nos pensamentos negativos.

"Enquanto você acreditar que a causa do seu problema está 'lá fora' — enquanto acreditar que alguém ou alguma coisa são os responsáveis pelo seu sofrimento —, não haverá solução. Significa que estará sempre no papel de vítima, que estará padecendo no paraíso."

Byron Katie, em Loving What Is

Quando assumimos a responsabilidade pela nossa própria vida, deixamos de permitir que o ego e a mente desempenhem o papel de vítima em nosso nome.

"Nenhum pensamento jamais pode dominar aquele que o percebe. Observe a sensação ao se dar conta disso. Veja como ela é libertadora. É isso que nos impede de criar uma identificação inconsciente com o pensamento. Isso quebra a corrente."

Peter Dziuban, em Simply Notice

É a Consciência que está consciente dos seus pensamentos, e é a Consciência que está consciente das suas emoções. Quem fica triste não é a Consciência, que é o seu Eu *verdadeiro*; quem fica triste é a sua mente.

Quem fica nervoso, magoado, preocupado, ansioso ou decepcionado não é o seu *verdadeiro* Eu, é a sua mente. Só parece que é você porque você acredita que a sua mente é você, e porque acredita nos pensamentos dela.

"Assim como as legendas na barra inferior da tela da TV, deixe que os pensamentos simplesmente passem. Se a atenção não ficar focada no texto, você poderá ficar ciente da imagem como um todo."
Kalyani Lawry

Os Três Pensamentos da Mente

Embora a nossa mente surja, como todas as coisas, a partir da consciência, ela não é uma entidade ou uma coisa real, ainda que pareça bastante com isso. Ela não passa de uma atividade mecânica, um processo, como um programa de computador. E, assim como um programa de computador, ela é previsível. Na verdade, é tão previsível que só têm três tipos de pensamento.

"A mente mede, compara e descreve. Essas três coisas são tudo que ela faz, inúmeras e inúmeras vezes. Veja por si mesmo a partir de qualquer coisa que diga ou de qualquer pensamento que surja. Esse pensamento será a mente medindo, comparando ou descrevendo algo."
Minha mestra

A mente mede com pensamentos assim: "Vai levar duas horas para chegar lá", "Vou entrar de férias em uma semana", "Quanto tempo vai demorar para a minha encomenda chegar?", "Perdi vinte quilos", "Não tenho dinheiro suficiente".

A mente compara com pensamentos assim: "Gosto mais de um jipe do que de um sedã", "Prefiro ir a pé para o trabalho a pegar o ônibus", "Ela é mais inteligente do que eu, e muito mais talentosa", "Ele vai conseguir aquela promoção que eu queria, com certeza", "Olha só para ela, como eu queria ter aquele corpo", "Ele não é mais quem costumava ser".

E a mente descreve constantemente as coisas, como se você não pudesse vê-las. Mas você pode ver muito bem o que acontece na sua vida sem que a sua mente tenha que tecer comentários o tempo todo e sem que esse blá-blá-blá interminável o impeça de ver o mundo como ele é.

"Nossa atenção se concentra demais no pensamento. Ficamos presos às interpretações que fazemos e desperdiçamos a plenitude da vida."
Kalyani Lawry

"A mente interpreta tudo que chega até ela. Este se tornou o seu padrão de funcionamento. Isso é tão comum que poucas vezes nos ocorre que poderia ser de outra forma — que a mente pode, sim, renunciar a interpretar tudo que chega a ela. Tampouco pensamos que essas interpretações que mantêm a mente tão fascinada sejam a verdadeira causa do sofrimento. Acabamos achando que são as coisas que acontecem na vida que causam sofrimento."
Jan Frazier, em Opening the Door

Quando a sua mente está descrevendo alguma coisa, está contando uma história. Está fazendo uma interpretação do mundo e da realidade — e isso é imaginação. Muitas das histórias fabricadas pela mente dizem respeito a *você*, e, se acreditar nelas, essas histórias não só podem lhe trazer estresse e sofrimento, mas também limitar, e muito, a sua vida. Quando você acredita em uma história negativa, a vida se transforma nessa história! A mente inventa uma história negativa sobre você, você contribui com o poder da crença, e então ela projeta a história no mundo para que você a vivencie. Isso acontece por meio de pensamentos como:

"Sou um derrotado. Parece que nunca consigo conquistar nada."

"Não sou bom com dinheiro. Parece que ele escorre pelos meus dedos."

"Essa doença é de família."

"Estou com um problemão."

"Não vou conseguir superar esse trauma. Ele vai me afetar pelo resto da vida."

"Ficamos juntos por muitos anos, ele era o amor da minha vida, nunca vou conseguir superar isso."

A nossa mente nos convenceu que somos um corpo e uma mente — uma das suas maiores mentiras. Mas, como acreditamos, essa acaba se tornando a nossa experiência. Nós nos sentimos vulneráveis, com medo do que pode acontecer à gente ou aos outros, impotentes diante das situações e das circunstâncias que a vida apresenta, e, como se não bastasse, muitas pessoas ainda são devastadas pela crença de que a vida chega ao fim quando o corpo morre. É irônico que o seu verdadeiro Eu — a Consciência Infinita que você é — seja justamente o oposto do que a história da mente diz.

"Se você observar a forma como as coisas funcionam, um ser humano acorda de manhã, e, em um primeiro momento, há apenas quietude; a seguir, ocorre um reengajamento da mente, e ela entra em ação dizendo: 'O que tenho que fazer hoje? Quantos anos tenho? Quais problemas preciso resolver? Como vou fazer para que todas essas coisas deem certo?' Há uma completa identificação com essa história; você amarra os cadarços e segue o mesmo roteiro de sempre."

David Bingham, na Conscious TV

Outra história da qual a nossa mente nos convenceu é a do tempo. O tempo é uma ferramenta muito conveniente, que permite a todo mundo trabalhar a partir do mesmo calendário e dos mesmos relógios, de modo a coordenar as nossas vidas uns com os outros e com tudo que acontece ao redor do mundo. No entanto, conforme Einstein descobriu, o tempo é relativo; em última instância, ele não existe. O tempo é uma ilusão — um conceito mental criado pela mente.

"Se você tentar pôr as mãos no tempo, ele vai sempre escorrer por entre os dedos. As pessoas têm certeza de que tempo sempre as acompanha, mas não conseguem tocá-lo. Tenho a sensação de que talvez não possam tocá-lo porque ele não está lá."
Julian Barbour, físico, citado no livro de Adam Frank, About Time

Tudo que existe de fato é o momento presente, e, por mais que você tente, não será capaz de encontrar nenhuma situação ou circunstância que tenha acontecido em qualquer outro momento que não o presente.

É impossível tentar imaginar um mundo sem o tempo, pois a sua mente seria incapaz de compreendê-lo. Ela está sempre no passado ou no futuro e não está consciente do momento presente. Se você parar e ficar presente neste instante, vai perceber que não existe pensamento. Essa é uma das razões pela qual a mente tem sido capaz de impedir que tantos de nós percebamos quem realmente somos, porque a Consciência só pode ser reconhecida no momento presente!

Se não acredita que a sua mente cria o tempo, tente encontrar o tempo fora da sua mente.

"Faça um esforço para encontrar qualquer evidência do passado sem o uso do pensamento. Esforce-se ao máximo para encontrar qualquer passado além do pensamento atual sobre ele. É impossível."
Peter Dziuban, no audiolivro Consciousness is All

Agora tente encontrar o futuro sem um pensamento. Faça um esforço de verdade.

Não é possível encontrar qualquer evidência do passado ou do futuro sem o pensamento. Ninguém jamais foi capaz de entrar no passado ou no futuro. Quando algo aconteceu no passado, aconteceu no momento presente. Quando algo acontece no futuro, acontece no momento presente. Veja por si mesmo. Procure na sua memória o momento durante a sua infância em que andou de bicicleta pela primeira vez. Quando estava andando de bicicleta, estava andando no passado? Ou estava andando de bicicleta no momento presente? Quando acordou esta manhã, acordou no passado ou no momento presente?

"O passado e o futuro não podem ser vivenciados. Eles só podem ser processados através da mente. Passado e futuro existem apenas na forma de pensamento."
Jan Frazier, em The Great Sweetening: Life After Thought

"A única evidência que temos do passado da Terra são rochas e fósseis. Mas estas são apenas estruturas estáveis na forma de um arranjo de minerais que examinamos no presente. A questão é, tudo que temos são esses registros, e só podemos tê-los no Agora."
Julian Barbour, físico, citado no livro de Adam Frank, About Time

Quando ouvi pela primeira vez que o tempo não existe, minha mente ficou louca, tendo todo tipo de pensamentos para tentar provar que o tempo existia! Por exemplo, e as ruínas antigas? Elas não são prova de que houve um passado? Mas, quando examinei isso mais a fundo, percebi que, quando aquelas construções foram feitas, aquilo aconteceu no momento presente. E, se estou aqui parada olhando para uma ruína antiga, estou olhando para ela no momento presente, e qualquer pessoa que tenha olhado para a mesma construção também olhou para ela no momento presente. No fim das contas, ao examinar cada pensamento que surgiu tentando provar que o tempo é real, percebi que todos eles eram falsos, pois só existe o momento presente.

"Quer goste ou não, você está no momento. Só existe um momento, que é infinito, e você não tem como estar em nenhum outro lugar a não ser nele."
Minha mestra

"O agora não é um momento no tempo, imprensado entre dois vastos espaços do passado e do futuro. O Agora é o único que existe — o eterno Agora. Ele não veio de lugar nenhum, e não está indo a lugar nenhum."
Rupert Spira, em The Ashes of Love

Se você conseguir se abrir para a possibilidade de que o tempo é uma ilusão, isso o ajudará a se libertar.

"O futuro nunca chega. Pense nisso: o futuro nunca chega. Só existe o presente. No presente, existe a sensação de não desperdiçar a vida. De não ter para onde ir, nenhuma obrigação para cumprir. O presente é onde isso está acontecendo. E isso não está acontecendo em nenhum outro lugar. Com certeza absoluta não está acontecendo na mente, com todas as perguntas sobre o que está por vir, e com o ruminar ininterrupto de algo que já veio e já se foi."
Jan Frazier, em Opening the Door

"O passado é feito de memória; o futuro, de imaginação. Nenhum dos dois existe fora do reino do pensamento."
Rupert Spira, em The Ashes of Love

A mente está constantemente fixada no passado e no futuro, sendo que nenhum deles existe, mas, mesmo assim, podem nos causar estresse e preocupação. Você pensa consigo mesmo: "Estou atrasado para a reunião. O meu chefe e os meus colegas vão ficar furiosos. Me atrasei na semana passada também. Vou acabar sendo demitido por causa disso." Em vez de acreditar nesses pensamentos como fatos e certezas, esteja consciente de que eles são *apenas* pensamentos frágeis. São histórias fabricadas. Contudo, se acreditar, eles se *tornarão* verdade.

A capacidade da mente de contar histórias nada mais é do que um dos seus programas, mas, ainda assim, conseguiu convencer a maioria de nós de que essas histórias são verdadeiras — a história de que o tempo é real, a história de que somos um corpo e uma mente, a história de que somos um indivíduo isolado que nasce e morre. Todas essas coisas combinadas desempenham um papel na construção da realidade que vivenciamos, mas estão na mente, e, portanto, não são nada além de ideias mentais.

"Não é de você que as pessoas gostam ou desgostam; é das histórias sobre você."

Byron Katie, em A Mind at Home with Itself

Não acredite em uma história que a sua mente lhe diz se for algo que você não deseja; caso contrário, vai ficar marcado por ela. Repare nas engrenagens da sua mente e não aceite qualquer história ou pensamento sobre você que não trate de perfeição e de bondade, porque perfeição e bondade pura são aquilo que você *realmente* é!

A Consciência é a Saída

"O que é um pensamento? Um movimento de energia. O que é um sentimento? Um movimento de energia."

Peter Lawry, na palestra "Consciousness Unlimited"

Aquilo que você é, Consciência Infinita, não pode nunca ser afetado por pensamentos. Portanto, torne-se consciente dos pensamentos e veja-os como eles verdadeiramente são — apenas um pensamento, apenas energia passando.

"Um pensamento é como um pássaro voando. Deixe o pássaro voar sem analisá-lo: 'Onde você está indo? Que tipo de pássaro é? Onde está a sua família? Quantos anos você tem?' Apenas deixe o pássaro voar e seguir adiante."

Minha mestra

Você não precisa eliminar a sua mente ou entrar em guerra com ela. Se fizer isso, vai dar a ela ainda mais poder. A Consciência é o caminho para sair da turbulência da mente. Apenas tome consciência dos seus pensamentos; assim, você não vai mais acreditar neles. É impossível estar consciente dos seus pensamentos e acreditar neles ao mesmo tempo, porque ter consciência dos seus pensamentos impede que você se identifique com eles, como se fossem verdadeiros. Quando você apenas observa os pensamentos em vez de se perder neles, você os vê pelo que realmente são: algo em que pode escolher acreditar ou não.

"Quem você é não precisa de um pensamento para ouvir. Não precisa de um pensamento para ver. Não precisa de um pensamento para sentir o corpo e tudo que há em volta. Quem você é está livre dos pensamentos. Consciência é ouvir, ver, sentir tudo primeiro, sem nenhum pensamento."

Minha mestra

Lembre-se de que os seus pensamentos não estão conscientes de você; você é a Consciência que está consciente dos seus pensamentos.

"Quando você fica disposto a refletir de verdade sobre o quanto se leva a sério, a sua mente pode começar a se sentir em paz, com uma pequena brisa quente soprando ao redor dela. Aquilo que você defendeu como sendo você — suas opiniões, seus desejos, seus medos, tudo com que você se importava — se torna um pouco borrado. A vida se torna curiosamente fácil. Até mesmo divertida. O que acontece apenas… acontece. Você está bem com isso, honesta e verdadeiramente bem. Nenhuma opinião sobre isso desponta na tela do radar. Tudo fica muito tranquilo dentro da sua cabeça. Você percebe o quanto você estava trabalhando demais, por toda a sua bem-intencionada vida. A vida, para você, acabou de começar."

Jan Frazier, em Opening the Door

CAPÍTULO 5 *Resumo*

- *O hábito de acreditar nos nossos próprios pensamentos nos priva de sermos capazes de viver na magnitude e na glória que realmente somos.*

- *São os seus pensamentos em relação a uma pessoa, circunstância ou situação a fonte das situações negativas na sua vida, não a pessoa, a circunstância ou a situação em si.*

- *A mente existe para você pedir o que deseja. Ela não é necessária para mais nada, porque quem cuida de todo o restante é a Consciência.*

- *Sua mente não é o seu cérebro. Seu cérebro não pensa. Os pensamentos vêm da sua mente.*

- *Sua mente é feita integralmente de pensamento. Se não houver pensamento, não haverá mente.*

- *A maioria das pessoas acredita nos próprios pensamentos como se fossem fatos, o que explica por que a vida é tão estressante e desafiadora para tanta gente.*

- *São os pensamentos negativos que provocam sofrimento e estresse, portanto, precisamos ficar particularmente conscientes deles.*

- *Quando acreditamos nos nossos pensamentos, somos sugados na mesma hora para dentro de um filme imaginário dentro da nossa cabeça, e não mais experimentamos o mundo como ele é de fato.*

- *Os pensamentos são também responsáveis por gerar os nossos sentimentos e, por sua vez, esses sentimentos vão gerar mais pensamentos.*

- *Não há nada de errado com a mente; os problemas só começam quando acreditamos nos pensamentos negativos dela.*

- *Quem fica com raiva, magoado, preocupado, ansioso ou decepcionado não é o seu Eu verdadeiro, é a sua mente.*

- *A mente só possui três tipos de pensamento. Ela mede, compara e descreve.*

- *A nossa mente nos convenceu de que somos um corpo e uma mente, e esta é uma das suas maiores mentiras.*

- *Outra história da qual a nossa mente nos convenceu é a história do tempo. O tempo é uma ilusão — um conceito mental criado pela própria mente.*

- *Tudo o que realmente existe é o momento presente. Passado e futuro existem apenas na forma de pensamento.*

- *Você não tem que eliminar a sua mente ou entrar em guerra com ela. A Consciência é o caminho para sair da turbulência da mente.*

- *Quando você apenas observa os seus pensamentos em vez de se perder neles, vê-os pelo que eles são: algo separado de você, em que você pode escolher acreditar ou não.*

COMPREENDENDO O PODER DOS SENTIMENTOS

É possível viver a vida sem que sentimentos negativos voltem a perturbá-lo. Quando você vive a partir da Consciência que é, sentimentos negativos não o afetarão da mesma forma como acontece agora. O verdadeiro você é pura felicidade a qualquer momento e em qualquer condição. Pode ser difícil imaginar que você possa dar fim aos sentimentos negativos que o afetam, mas descobrirá por si mesmo que é possível.

"Sentimentos negativos são destrutivos. O que somos é construtivo."
Minha mestra

Através da prática dos métodos compartilhados neste livro, não sofro mais de sentimentos negativos extremos. Se qualquer sentimento negativo aparece, é bastante suave, eu o percebo de imediato, e ele se dissolve em seguida. Quando eu era mais jovem, os sentimentos negativos costumavam me derrubar, como se eu fosse jogada dentro de um furacão. Porém, depois que descobri O Segredo, me tornei consciente de como estou me sentindo de um momento para o outro. E se você estiver consciente de como está se sentindo, basta um único passo ainda mais simples, como vai descobrir, para dissolver os sentimentos negativos de uma vez por todas. Quando está livre de todos os sentimentos negativos, o que sobra é a Consciência Infinita que você é, e a sua vida será sem dúvida espetacular.

"Depois de perceber o quão descomplicado é o modo de vida mais elevado, será necessário um esforço tremendo para presumir o contrário."

Lester Levenson

Entender o que realmente são os sentimentos ajuda a diminuir o poder que eles têm sobre você.

Sentimentos (e também pensamentos e sensações) são apenas um movimento de energia. A energia vibra, o que significa que os sentimentos, assim como os pensamentos, também vibram. Sentimentos diferentes vibram em frequências diferentes. Bons sentimentos vibram em frequências mais altas, são benéficos para o corpo e afetam positivamente os aspectos que cercam a sua vida. Os sentimentos positivos que você tem também beneficiam os outros seres e o planeta como um todo. Sentimentos negativos vibram em frequências baixas, são prejudiciais para o seu corpo, para os aspectos da sua vida, para outros seres e para o planeta. Mas de onde vêm os sentimentos, afinal?

Pensamentos geram sentimentos. O tipo de pensamento que você tem vai gerar o mesmo tipo de sentimento. Ao ter pensamentos felizes, você se sente feliz. E uma vez que está se sentindo feliz, é impossível ter pensamentos de raiva ao mesmo tempo. Pensamentos felizes geram sentimentos felizes, que geram mais pensamentos felizes. Da mesma forma, se você está com raiva, é porque teve pensamentos de raiva. Pensamentos e sentimentos sempre combinam; eles são as duas faces da mesma moeda.

Se uma situação surge e você permite que pensamentos e sentimentos negativos tomem conta de você, é provável que continue a experimentar várias coisas dando errado, uma após a outra, ao longo do dia. No entanto, quando se sente bem, acontecerá uma coisa boa atrás da outra durante o seu dia. O que você sente por dentro corresponderá exatamente ao que vivencia no mundo ao seu redor.

"Agora você sabe que nada do que existe vem de fora; tudo parte dos pensamentos e sentimentos que carregamos dentro de nós."

Em O Segredo

Sentimentos Positivos

Você já notou que todos os sentimentos bons não exigem esforço algum? Quando está se sentindo bem, você também se sente leve como uma pluma e como se tivesse um estoque ilimitado de energia. Ao se tornar mais sensível à forma como está se sentindo, notará o efeito positivo que os bons sentimentos têm sobre o seu corpo e a sua mente.

Sentir-se bem não significa agir como uma líder de torcida em um jogo de futebol americano, pulando cheio de entusiasmo. Como você sem dúvida teria experimentado, quando fica animado demais, dissipa toda a sua energia e fica esgotado depois.

Sentir-se bem é a forma como você se sente no final de um grande dia em que tudo correu bem, ou quando você está descansando de férias, ou quando fez exercícios pesados, tomou um banho, e depois se sentou para desfrutar do jantar ou do seu programa favorito. Você se sente relaxado. Sente uma sensação de alívio. Você repousa e sente felicidade e paz. Sabe aquelas ocasiões em que diz "Ah, isso é tão bom"? É isso que significa se sentir bem. Se pudesse se libertar do controle da sua vida, automaticamente se sentiria dessa forma, porque se sentir bem é a sua verdadeira natureza. Na verdade, sempre que se sente bem, significa que deve ter deixado sentimentos ruins de lado, permitindo que os sentimentos bons aparecessem naturalmente.

"Bons sentimentos devem ser apreciados. Eles são expressões de alegria e nos levam de volta ao júbilo, que é a nossa verdadeira natureza.

Apenas desfrute-os; seja um com eles."
Francis Lucille, em The Perfume of Silence

Sentimentos bons e positivos são o resultado de dizer "sim" ao que está acontecendo na vida. Sentimentos positivos vêm de "Sim, eu quero isso", "Sim, isso seria ótimo", "Sim, isso é bom", "Sim, adoro isso" ou "Sim, essa é uma excelente ideia".

Não há problemas com sentimentos bons ou positivos. Afinal, a felicidade e os bons sentimentos vêm da Consciência. Aproveite os bons sentimentos, explore-os e se apaixone por eles.

Sentimentos Negativos

Sentimentos negativos são o resultado de você pensar ou dizer "não" diante de um acontecimento. Sentimentos negativos vêm de "Não, eu não quero isso". Pode ser algo doloroso que uma pessoa disse ou fez; alguém discordando de você; ou uma situação, importante ou não, que não correu da maneira que você desejava, como uma discussão, um atraso, um problema de saúde, o término de um relacionamento, dívidas crescentes, perder o celular, trânsito, um atraso em uma entrega, itens fora de estoque, tempo quente ou frio demais, problemas com o governo, voos atrasados ou cancelados, estacionamento sem vagas ou longas filas no supermercado, no banco ou no aeroporto.

Quando você pensa ou diz "Não, eu não quero isso", de imediato a frase provoca resistência em você, e é a resistência que produz os sentimentos ruins. E então, como se não bastasse resistirmos a uma situação, vamos além e resistimos aos sentimentos ruins também. Acabamos nos sentindo ainda pior, presos a uma teia de sentimentos ruins causados não exatamente por algo acontecendo no mundo exterior, mas pelas nossas próprias reações. Nossa resistência ao que está acontecendo e os nossos sentimentos negativos não só nos mantêm presos à situação que não desejamos como também drenam o nosso corpo de energia e até mesmo impactam o nosso sistema imunológico!

"Sentir-se triste em relação a qualquer coisa é se agarrar a essa coisa. Diga: 'Preciso deixar isso de lado.' Você vai se sentir melhor na mesma hora."
Lester Levenson, em Happiness Is Free, *volumes 1-5*

Sentimentos positivos não exigem absolutamente esforço algum, porque são a verdadeira natureza da Consciência. Somos feitos de sentimentos positivos; somos feitos de alegria, felicidade e amor. Sentimentos negativos requerem uma quantidade de energia imensa para serem mantidos, e esse é o motivo pelo qual nos sentimos esgotados se perdermos o controle das nossas emoções durante o dia. Uma breve situação em que somos tomados por emoções negativas, como quando perdemos a paciência, nos deixa arrasados, porque foi preciso um esforço e uma energia enormes para construí-la e sustentá-la. A situação exige esforço porque não é o que somos; quando sentimos quaisquer sentimentos negativos, naquele momento estamos lutando contra quem somos.

"A manutenção do 'eu' consome energia demais."
Peter Lawry

"Ser uma pessoa exige uma boa dose de energia. Ser você mesmo não exige energia alguma."
Mooji

"Depois de deixar de lado uma parcela suficiente do ego, você naturalmente sente a paz e a alegria do seu Eu."
Lester Levenson, em Happiness Is Free, *volumes 1-5*

Sentimentos bons e positivos ocorrem de maneira natural na ausência de sentimentos negativos. Você não precisa fazer qualquer esforço para tê-los, tudo que precisa fazer é abrir mão dos sentimentos ruins, e então se sentirá feliz e bem de verdade.

"O amor não exige esforço algum, e o ódio exige esforço demais."
Lester Levenson, em Happiness Is Free, *volumes 1-5*

Sentimentos Enterrados

"Grande parte da carga emocional que você carrega hoje nasceu como um sentimento rechaçado."
Jan Frazier, em The Freedom of Being

Desde a infância, reprimimos sem perceber inúmeros sentimentos ruins, que agora estão armazenados na nossa mente subconsciente. Os sentimentos ruins ficam enterrados na mente subconsciente, diminuindo a nossa energia e a nossa vida. Toda essa energia está presa no corpo, e é essa energia que desgasta a saúde do corpo e outros aspectos da nossa vida.

Sentimentos ruins ou negativos são os únicos sentimentos que reprimimos e enterramos, de modo que eles acabam, no fundo, se tornando a mesma coisa. A raiva que você sente quando fica irritado é a mesma raiva reprimida que vem de dentro de você.

Além disso, sentimentos negativos reprimidos vêm junto com diversos pensamentos negativos, que são os pensamentos que fazem a gente se sentir mal em primeiro lugar, bem como todos os pensamentos que já tivemos, uma vez que eles estão relacionados ao sentimento negativo. Os pensamentos que estão vinculados ao sentimento negativo reprimido nos mantêm presos na nossa mente, reciclando-se sem parar, afetando de maneira negativa a nossa vida e impedindo que percebamos o nosso verdadeiro Eu.

Bebês e crianças menores de 3 anos não reprimem as suas emoções porque estão vivendo a verdadeira natureza da Consciência, então desapegam das suas emoções de maneira automática. Essa é a razão pela qual você vê bebês e crianças indo das lágrimas a um sorriso e a gargalhadas em segundos; eles não resistem a qualquer emoção.

"Somos tão bons em reprimir as coisas na vida adulta que, na maioria das vezes, já é um hábito. Nós nos tornamos tão bons ou melhores em reprimir quanto éramos originalmente em deixar para lá. Na verdade, reprimimos tanto da nossa energia emocional que somos todos um pouco como bombas-relógio ambulantes. Muitas vezes, sequer temos noção de que reprimimos as nossas verdadeiras reações emocionais até que seja tarde demais: o corpo dá sinais de doenças relacionadas ao estresse, os ombros estão colados nas orelhas, o estômago está dando nós, ou então explodimos e falamos ou fazemos algo que depois lamentamos."
Hale Dwoskin, em The Sedona Method

Quando você tem uma experiência negativa que lhe causa sentimentos ruins, a menos que os deixe ir por completo, eles acabam sendo empurrados para dentro de você e ficam lá, reprimidos.

Mesmo quando você talvez acredite que tirou algo do peito ou que a situação que o aborreceu foi resolvida, a menos que especificamente deixe o sentimento negativo de lado, ele permanecerá em você, reprimido na sua mente subconsciente.

"Expressar sentimentos negativos apenas permite que uma quantidade suficiente da pressão interna saia para que o restante possa ser

reprimido. Este é um ponto importante a ser compreendido, pois muitos indivíduos na sociedade atual acreditam que expressar os sentimentos os liberta deles. Na verdade, o que ocorre é o oposto."
Dr. David R. Hawkins, em Letting Go

Então, desabafar ou descarregar não é a solução. Isso só vai dar mais energia à emoção já reprimida, porque sentimentos expressados também são reprimidos.

Às vezes, também reprimimos *de propósito* os sentimentos ruins, e, assim, eles também são empurrados para o subconsciente. Reprimimos deliberadamente as nossas emoções quando repelimos os sentimentos que nos incomodam, como a dor e a tristeza, ou quando sufocamos sentimentos como a raiva.

"Reprimir é manter uma tampa sobre as nossas emoções, empurrando-as de volta para dentro, negando-as e fingindo que não existem. Qualquer emoção que chegue à consciência e não seja deixada de lado é automaticamente armazenada em uma parte da nossa mente chamada subconsciente. Em grande parte, a maneira como reprimimos as nossas emoções é escapando delas."
Hale Dwoskin, em The Sedona Method

Imagine que você teve uma experiência decepcionante com um parente ou um amigo. Você acha que a pessoa o desapontou, e está decepcionado com ela. Esse sentimento permanece reprimido dentro de você, e a pressão causada pela energia emocional aprisionada aumenta até que parte dela precise ser liberada. A decepção reprimida tem que achar uma válvula de escape para aliviar a pressão no seu corpo, então ela encontrará pessoas, circunstâncias ou situações que vão decepcioná-lo, permitindo que parte da sua energia acumulada seja liberada. Isso se aplica a todos os sentimentos negativos que você já reprimiu, e a maioria de nós reprimiu uma quantidade enorme de sentimentos negativos. Se você sentiu, você reprimiu.

Se já se sentiu incomodado, então sabe que o incômodo já foi reprimido dentro de você. Se não tivesse esse sentimento reprimido dentro de você, não seria capaz de se sentir incomodado com nada. Então, sempre que se sente incomodado, é o incômodo original que sentiu e reprimiu que está saindo. E esse é o caso de todo sentimento negativo, seja raiva, frustração, irritação, vingança, ódio, depressão, tristeza, desespero, inveja, culpa, vergonha, impaciência, desilusão, decepção, irritação ou sentir-se sobrecarregado. Infelizmente, reprimimos vários sentimentos negativos quando somos crianças porque, na nossa inocência, consideramos doloroso demais lidar com eles e, assim, com o passar do tempo, rejeitar os sentimentos em vez de deixá-los acontecer se torna um hábito. Dessa forma, quase todo mundo passa a vida inteira reprimindo ou sufocando sentimentos ruins.

Sua mente vai encobrir a verdadeira causa de um sentimento ruim usando alguma projeção para convencê-lo de que o sentimento foi causado por algo exterior a você.

"[A mente] culpa eventos ou outras pessoas por 'provocar' um sentimento e vê a si mesma como vítima inocente e indefesa das causas externas. 'Eles me deixaram nervoso', 'Ele me deixou chateado', 'Isso me assustou', 'Os acontecimentos mundiais são a causa da minha ansiedade'. Na verdade, o que ocorre é o contrário. Os sentimentos reprimidos e sufocados buscam uma válvula de escape e utilizam esses acontecimentos como gatilhos e justificativas para se aliviar. Somos como panelas de pressão prontas para liberar vapor assim que surge a oportunidade. Nossos gatilhos estão configurados e prontos para disparar. Na psiquiatria, esse mecanismo é chamado de deslocamento. É porque estamos com raiva que os acontecimentos 'nos deixam' com raiva."
Dr. David R. Hawkins, em Letting Go

Você não se sente como uma panela de pressão quando um sentimento ruim como a raiva toma conta de você muito intensa e rapidamente? Se conhece alguém que sente raiva o tempo todo, isso significa que essa pessoa tem muita raiva reprimida, provavelmente desde os primeiros anos de vida. Essa pessoa também tem certeza absoluta de que são os outros indivíduos ou as circunstâncias que lhe provocam ataques de raiva, mas é quase certo que a única causa disso seja a raiva reprimida.

"A verdadeira fonte de 'estresse' é, na verdade, interna; não é externa, como as pessoas gostariam de acreditar. A disposição para reagir com medo, por exemplo, depende da quantidade de medo que já está presente para ser desencadeado por um estímulo. Quanto mais medo temos do lado de dentro, mais a nossa percepção do mundo se transforma em uma expectativa tomada pelo pavor e pela cautela. Para a pessoa com medo, este mundo é um lugar aterrorizante. Para a pessoa com raiva, este mundo é um caos, repleto de frustração e aborrecimento. Para a pessoa com culpa, este é um mundo de tentação e pecado, que são vistos em toda parte. O que mantemos dentro de nós influencia o nosso mundo. Se abrirmos mão da culpa, enxergaremos inocência; no entanto, uma pessoa guiada pela culpa enxergará apenas o mal."
Dr. David R. Hawkins, em Letting Go

Então, da próxima vez que um sentimento negativo tomar conta de você, lembre-se de que não importa o que ele aparenta ser, você o está experimentando porque ele *já está* dentro de você — não porque uma pessoa ou uma circunstância externa o causou.

Talvez você pense que a gente já deveria ter resolvido esse assunto a essa altura, não é? Afinal, a partir da nossa experiência, fica claro que os sentimentos negativos surgem de *dentro* do corpo. Nenhum de nós jamais caminhou por uma rua e teve que evitar sentimentos negativos voando na nossa direção! Você nunca vai encontrar um sentimento negativo fora do seu corpo ou do corpo de qualquer indivíduo. A causa dos nossos sentimentos negativos é a nossa *reação* a uma pessoa, circunstância ou acontecimento, não a pessoa, a circunstância ou o evento em si.

Querida, Encolhi a Mim Mesmo

Sentimentos negativos ganham ainda mais energia quando acreditamos que somos um sentimento negativo. Mas como podemos ser um sentimento? Quando nos identificamos com um sentimento, isso significa que encolhemos o nosso Eu Infinito, porque estamos nos permitindo ser governados por um sentimento minúsculo e insignificante.

"Pensamentos e emoções parecem poderosos porque nós os energizamos. Ao deixá-los crescer e diminuir por conta própria, eles simplesmente seguem em frente."
Kalyani Lawry

"Não é legítimo dizer: 'Estou triste.' Em vez disso, deveríamos dizer: 'Neste momento, um sentimento de tristeza flui em mim.' Se deixarmos

o sentimento de tristeza fluir, automaticamente e sem nem perceber passamos a nos posicionar contra aquilo que não está fluindo."
Francis Lucille, em The Perfume of Silence

Pergunte a si mesmo: você é o sentimento de tristeza ou é aquele que está ciente da tristeza?
Você é aquele que está ciente da tristeza.
Você estava aqui antes de a tristeza chegar?
Tenho certeza de que sim.
Você vai continuar aqui depois que a tristeza for embora?
Espero que sim.
Quando a tristeza passar, uma pequena parte de você terá se perdido?
Espero que não.

Sim, você estava aqui antes de a tristeza chegar, e, sim, vai continuar aqui depois que ela for embora, intacto, pois você não é a tristeza. A tristeza é uma coisa da qual você fica *ciente*, e, sob hipótese alguma, ela é quem você é. Não deixe que um sentimento o encolha até o tamanho de uma ervilha, pois você é o Ser Infinito que mantém o universo no lugar!

"Pare de agir de forma tão pequena. Você é o universo em movimento extático."
Rumi

Minha mestra sugeriu que eu questionasse *todos* os meus sentimentos negativos da seguinte maneira:

"Eu sou isso ou sou a pessoa que está ciente disso?"

Essa pergunta faz com que o sentimento perca a maior parte do seu poder na mesma hora, porque impede que você se identifique com ele.

"Perceba que pensamentos e sentimentos são como um trem que entra em uma estação e depois vai embora; seja como a estação, não como o passageiro."
Rupert Spira, em The Ashes of Love

Note que sentimentos aparecem e depois desaparecem, e que é você, a Consciência, que está consciente deles quando eles aparecem e também quando desaparecem.

"Os sentimentos negativos estão em você, não na realidade. Nunca se identifique com esse tipo de sentimento. Eles não têm nada a ver com o 'Eu'. Não defina a sua essência a partir disso. Não diga 'Sou deprimido'. Se quiser dizer 'É deprimente', tudo bem; se quiser dizer, 'É um pouco melancólico', tudo bem. Mas não 'Sou melancólico'. Você está se definindo a partir do sentimento. Essa é a ilusão, esse é o erro. As coisas

estão um pouco deprimentes nesse momento, há mágoas nesse momento, mas deixe estar, deixe isso para lá. Vai passar. Tudo passa, tudo."
Anthony de Mello, S.J., em Awareness: Conversations with the Masters

"Diga à sua mente: 'Fique tão nervosa ou deprimida quanto quiser. Apenas vou observá-la ou ignorá-la, mas não vou me juntar a você.'"
Mooji

Um Trabalho Interno

"Imagine um paciente que vai ao médico e relata o que está sentindo. O médico diz: 'Muito bem, entendi os seus sintomas. Sabe o que vou fazer? Vou prescrever um remédio para o seu vizinho!' O paciente responde: 'Ah, muito obrigado, doutor, isso faz com que eu me sinta bem melhor.' Não é absurdo? Mas é exatamente isso que todos nós fazemos. A pessoa que está dormindo sempre acha que vai se sentir melhor se outra pessoa mudar. Você sofre porque está dormindo, mas, ao mesmo tempo, pensa 'Como a vida seria maravilhosa se a outra pessoa mudasse; como a vida seria maravilhosa se o meu vizinho mudasse, a minha esposa mudasse, o meu chefe mudasse'."
Anthony de Mello, S.J., em Awareness: Conversations with the Masters

Não espere as pessoas, as circunstâncias e os acontecimentos mudarem para você se sentir melhor, porque nenhum deles jamais vai fazer isso. Você nunca vai ser feliz se ficar esperando o mundo mudar de acordo com os seus desejos ou as suas expectativas. Mudar como você se sente, a qualquer momento, é sempre um trabalho interno.

"Investimos todo o nosso tempo e toda a nossa energia tentando mudar as circunstâncias externas, tentando mudar os nossos cônjuges, os

nossos chefes, os nossos amigos, os nossos inimigos, todos. Não temos que mudar nada. Os sentimentos negativos estão em você. Nenhuma pessoa na Terra tem o poder de deixá-lo infeliz. [...] Ninguém lhe disse isso, e, sim, o contrário."
Anthony de Mello, S.J., em Awareness: Conversations with the Masters

Sentimentos negativos são autoinfligidos. Somos nós que causamos estresse e tristeza a nós mesmos, mas, da mesma forma, gostamos de acreditar que o nosso estresse e a nossa tristeza são infligidos pelo mundo que nos rodeia.

"As ações dos outros não têm o poder de lhe conceder ou negar a paz."
Jac O'Keeffe

"Nenhum acontecimento justifica um sentimento negativo. Não existe situação no mundo que justifique um sentimento negativo. É isso que todos os místicos têm tentado nos dizer, falando até perderem a voz. Mas ninguém escuta. O sentimento negativo está em você."
Anthony de Mello, S.J., em Awareness: Conversations with the Masters

É uma *boa* notícia o fato de que provocamos sentimentos negativos a nós mesmos, porque isso significa que temos o poder de parar de fazer isso! E quando sofrermos o suficiente com esses sentimentos ruins, vamos desejar encontrar uma saída. Nada nos incentiva mais a querer procurar uma saída do que a infelicidade e o sofrimento. Uma notícia ainda melhor: existe uma maneira simples de acabar com os sentimentos ruins — para sempre.

CAPÍTULO 6 *Resumo*

- Quando você está livre de todos os sentimentos negativos, o que sobra é a Consciência Infinita que você é, e a sua vida será completamente espetacular.

- Pensamentos geram sentimentos. O tipo de pensamento que você tem vai gerar o mesmo tipo de sentimento.

- O que você sente por dentro corresponderá exatamente ao que vivencia no mundo ao redor.

- Sentir-se bem é a sua verdadeira natureza. Sempre que se sente bem, isso significa que você deve ter deixado sentimentos ruins de lado, permitindo que os sentimentos bons aparecessem naturalmente.

- Sentimentos bons e positivos são o resultado de dizer "sim" ao que está acontecendo na vida. Sentimentos negativos são o resultado de pensar ou dizer "não" em relação ao que está acontecendo na sua vida.

- Sentimentos positivos não exigem esforço algum, porque são a nossa verdadeira natureza. Sentimentos negativos requerem uma imensa quantidade de energia para serem mantidos.

- Desde a infância, reprimimos inconscientemente inúmeros sentimentos ruins, que agora estão armazenados na nossa mente subconsciente.

- Quando você tem uma experiência negativa que lhe causa sentimentos ruins, a menos que abra mão deles completamente, eles acabam sendo empurrados para dentro de você e ficam lá reprimidos.

- *Desabafar ou descarregar não é a solução. Isso apenas vai dar mais energia a uma emoção já reprimida, porque sentimentos expressados também são reprimidos.*

- *Um sentimento reprimido precisa achar uma válvula de escape para aliviar a pressão no seu corpo, então ele vai encontrar pessoas, circunstâncias ou situações que permitirão que parte da sua energia acumulada seja liberada.*

- *Da próxima vez que um sentimento negativo tomar conta de você, lembre-se de que não importa o que ele aparenta ser, você só o experimenta porque ele já está dentro de você — não porque uma pessoa ou circunstância externa o causou.*

- *Sentimentos negativos ganham ainda mais energia quando acreditamos que somos um sentimento negativo.*

- *Note que sentimentos aparecem e então desaparecem, e que é você, a Consciência, que está consciente do momento em que eles aparecem e desaparecem.*

- *Não espere as pessoas, as circunstâncias e os acontecimentos mudarem para você se sentir melhor. Mudar como você se sente, a qualquer momento, é sempre um trabalho interno.*

CAPÍTULO 7

O Fim dos Sentimentos Negativos

"A única coisa que existe entre você e a sua verdadeira natureza é um pensamento ou um sentimento. É muito simples."

Minha mestra

A felicidade é o seu estado natural, então, se você não está feliz neste instante, é porque existe um sentimento negativo que impede que a felicidade esteja presente em você. Este capítulo oferece várias práticas que vão ajudá-lo a acabar com os sentimentos negativos que o fizeram entrar nesse ciclo vicioso. Quando estiver livre deles, enfim viverá a vida no seu estado natural de pura alegria e felicidade — a vida mais espetacular que já viveu até hoje.

"A primeira coisa que você precisa fazer é entrar em contato com os sentimentos negativos dos quais não está consciente. Muitas pessoas têm sentimentos negativos dos quais não estão conscientes. Muitas pessoas estão deprimidas e não têm consciência de que estão deprimidas. Só quando entram em contato com a alegria que entendem como estavam deprimidas. A primeira coisa que você precisa fazer é estar consciente dos seus sentimentos negativos. Quais sentimentos negativos? A melancolia, por exemplo. Você se sente triste e mal--humorado. Sente culpa ou ódio de si mesmo. Você acha que a vida não faz sentido; está magoado, se sente nervoso e tenso. Antes de mais nada,

entre em contato com esses sentimentos."
Anthony de Mello, S.J., em Awareness: Conversations with the Masters

Você não precisa saber o nome do sentimento negativo que tem, porque, às vezes, pode ser difícil identificar exatamente o que está sentindo. Tudo que precisa saber é que, se o sentimento não é feliz, então é negativo, e esse sentimento negativo está atrasando a sua vida e impedindo que você viva em um estado de felicidade constante.

Basta estar consciente do sentimento negativo, sem resistir a ele, sem expressá-lo nem julgá-lo de nenhuma maneira, e enxergar que ele é só um sentimento. Não faça tentativa alguma de mudá-lo. Só quando você para de querer se livrar do sentimento, quando para de resistir a ele, é que a energia é liberada e o sentimento pode, então, desaparecer.

"Se você para de resistir a uma emoção, ela não se sustenta."
Rupert Spira, na palestra "Rest In Your Being"

Nós nos convencemos de que, se resistirmos aos sentimentos ruins, somos capazes de fazê-los desaparecer; porém, em vez disso, só estamos garantindo que vamos experimentá-los diversas vezes. Como disse o psiquiatra Carl Jung: "Tudo a que você resiste, persiste." Elimine a resistência e qualquer sentimento negativo, não importa o quanto seja forte, passa logo pelo corpo.

Minha mestra me mostrou que, quando você coloca a palma da sua mão contra a palma da mão de outra pessoa e cada um de vocês empurra, você vai sentir uma resistência. Se a outra pessoa para de empurrar, as duas mãos desabam na hora. Se puder, experimente fazer a mesma coisa com um amigo ou um parente, porque testar isso deixará tudo muito claro. É exatamente o que acontece quando você para de resistir a uma emoção — ela desaba.

Para não resistir mais a um sentimento negativo, você precisa permitir que o sentimento esteja presente sem tentar mudá-lo. Apenas fique *consciente* dele. Relaxe, não fique tenso em relação a ele, porque isso é resistir. Ironicamente, você deixa a sensação ir embora ao relaxar e permitir que ela esteja presente, sem querer mudá-la nem se livrar dela, sem querer transformá-la nem fazer nada a respeito. Deixe o sentimento estar presente, pois isso permitirá que a energia dele seja liberada. É o extremo oposto do que costumamos fazer, o que explica por que retemos tantas emoções negativas.

"A resistência é bastante traiçoeira. Ela é uma das principais coisas que nos impedem de ter, de fazer e de sermos o que queremos na vida."
Hale Dwoskin, em The Sedona Method

A energia por trás de um sentimento negativo será liberada de maneira natural quando você permitir que o sentimento esteja presente. É um processo automático. Tudo que você precisa fazer é estar consciente do sentimento, permitir que ele esteja presente e não tentar afastá-lo, mudá-lo, controlá-lo ou livrar-se dele. Quando você permite que o sentimento esteja presente por completo, a energia dele se desvanece logo e, ao mesmo tempo, leva embora uma grande parte do sentimento retido. Por exemplo, se você não resistir a um sentimento de raiva quando ele aparecer e permitir que ele esteja presente, o sentimento vai passar por você rapidamente, levando consigo um pouco da raiva original retida desde o começo da sua vida.

"Não tenha medo dos sentimentos — permita que eles venham à tona e se libertem."
Shakti Caterina Maggi

Quando percebemos um sentimento e permitimos que ele seja exatamente como é, não mais o suprimimos ou o reprimimos. Nós finalmente começamos a libertar os sentimentos suprimidos. Mesmo um ataque de raiva extrema pode perder força em menos de um minuto se ficarmos consciente dele, permitindo que ele esteja presente, sem oferecer resistência.

"Quando criamos uma identidade muito forte com as emoções negativas, em vez de apenas observá-las, elas podem drenar o nosso suprimento de energia em pouquíssimo tempo. Se nos mantivermos presentes e aprendermos a desfazer a identificação com as emoções, conseguimos recuperar o controle do nosso suprimento de energia, que, então, pode ser usado para melhorar a nossa experiência de vida."
David Bingham

As práticas que compartilho a seguir são os métodos mais eficazes que conheço para libertar para sempre os sentimentos negativos, incluindo todos aqueles que foram sendo retidos e acabaram se acumulando ao longo da vida. E, uma vez que eles tenham ido embora, você não mais será afetado por sentimentos negativos da mesma forma que antes, sua saúde vai ficar ótima, assim como as suas finanças, os seus relacionamentos e todos os aspectos da sua vida. Melhor ainda, uma vez que todos os sentimentos negativos tenham ido embora, não haverá mais barreiras separando você da alegria e da felicidade da Consciência Infinita. O que você quiser surgirá na sua vida, sem esforço. Você terá a experiência de existir enquanto ser humano e enquanto o Ser Infinito que é.

"Quando tudo o que pode ser deixado para trás é deixado para trás, resta apenas aquilo que realmente desejamos."
Rupert Spira, em **The Ashes of Love**

Acolhimento

O brilhante mestre e ex-físico Francis Lucille descreve um método de liberação de sentimentos negativos como "acolhimento". O acolhimento provou ser uma das práticas mais poderosas que já fiz na vida. Esta prática erradica sentimentos negativos de uma vez por todas. (É importante notar que a situação ou a circunstância que deu origem ao sentimento negativo também vai mudar quando você acolher o sentimento negativo. Isso se deve à liberação do sentimento que você tem em relação à situação.)

Acolher é o oposto de resistir. A resistência fala para um sentimento negativo: "Não, eu não quero isso!" O acolhimento diz: "Você é bem-vindo aqui." A Consciência sempre acolhe tudo. Nenhum sentimento negativo, por mais forte que seja, pode resistir ao acolhimento da Consciência. Na verdade, nenhuma negatividade de qualquer tipo que seja é capaz de resistir ao acolhimento da Consciência.

Parece contraintuitivo acolher algo que você não quer, mas é a resistência que mantém o que você não quer para si, e é o acolhimento que o impede de resistir! Pode ser desafiador não resistir ou ficar tenso diante de um sentimento negativo, mas, quando você abre a sua atenção e acolhe o sentimento, como que por milagre a resistência cessa e o sentimento negativo — que é apenas energia — se dissolve. A situação à qual você estava resistindo pode, assim, mudar.

Lembre-se de que abrir o foco da sua atenção é como abrir o zoom na lente de uma câmera, para que a mente não fique concentrada em nenhum detalhe. Certifique-se de não ficar focado no sentimento. Isso deixará você mais forte, porque a mente *aumenta* tudo aquilo em que focamos. Observe a sensação, mas não foque nela. Mantenha a atenção no todo.

O mestre Hale Dwoskin diz que, no começo, o ato de abrir os braços enquanto você expande a sua atenção pode ajudar. Abra os seus braços como se estivesse acolhendo um ente querido, prestes a lhe dar um abraço. Isso ajuda você a abrir o seu coração (temos a tendência de manter a área do coração sempre contraída e nem percebermos isso). Eu abro o meu coração conscientemente quando estou acolhendo qualquer coisa na vida que não queira.

Minha mestra diz que, quando acolhemos, estamos sendo o nosso verdadeiro eu, a Consciência, porque acolher é a nossa verdadeira natureza. Na verdade, a Consciência Infinita que é a sua verdadeira natureza é tão acolhedora que os sentimentos negativos não conseguem existir na presença dela. De forma bem simples, quando você acolhe qualquer coisa negativa, permite que ela se dissolva e retorne à sua fonte — você, Consciência! Assim, ao acolher um sentimento negativo, está entrando em contato com o seu poder infinito para dissolvê-lo.

O mestre Francis Lucille afirma que, à medida que nos tornamos mais experientes em acolher, percebemos que o acolhimento não é uma atividade em si, mas a interrupção da atividade de resistir. A princípio, achamos que acolher é algo que fazemos, mas, conforme praticamos, percebemos que se trata, na verdade, de *interromper* a prática de algo que muitos de nós fazemos de maneira automática: resistir.

"O sentimento se evapora porque é apenas energia; portanto, quando um sentimento surge, perceba que ele é só energia e o acolha. Ele emerge porque você já está pronto para se libertar dele."
Minha mestra

Aquilo Que o Machuca, o Abençoa

Alguns anos atrás, eu me vi em um estado de depressão. Na época, não sabia a maioria das coisas que estou compartilhando neste livro, mas, felizmente, sabia como eu tinha chegado àquele estado. Minha filha estava muito doente, e eu temia pela vida dela, tendo um pensamento apavorante atrás do outro. Ao acreditar nesses pensamentos amedrontadores, foi apenas uma questão de meses para eles me jogaram em uma espiral de depressão.

"Sentimentos como a raiva ou a tristeza existem apenas para alertá-lo de que você está acreditando nas suas próprias histórias."
Byron Katie, em A Mind at Home with Itself

Para sair da depressão, tentei ter pensamentos positivos e de gratidão, mas o que descobri é que os nossos pensamentos têm pouquíssimo poder nas profundezas da depressão. É um mecanismo de defesa que nos protege dos nossos próprios pensamentos que se manifestam quando estamos muito mal, seja em desespero ou em depressão. Então, diante da ineficácia da minha forma habitual de reverter as coisas, tive que encontrar outra forma de lidar com a situação.

Decidi que, se não tinha como suplantar a depressão com pensamentos positivos, eu deveria simplesmente parar de resistir a ela, porque sabia que "tudo a que você resiste, persiste". Então, fechei os olhos e me concentrei no interior do meu corpo, onde a depressão parecia habitar. Eu me abri para aquela nuvem sombria, como se estivesse abrindo os braços para acolhê-la, como se estivesse dando um abraço nela, colocando os braços em torno dela, da mesma forma que fazemos com alguém que amamos muito e que não vemos há um bom tempo. Abri o meu coração e amei a depressão da melhor forma que pude, e a trouxe para perto.

Por alguns segundos, tudo pareceu piorar, mas, de repente, foi ficando cada vez mais leve, e então se dissolveu por completo. Em questão de segundos, havia sumido — simples assim. Foi um alívio extraordinário.

Algumas horas depois, o sentimento de depressão voltou, mas era bem menos intenso do que antes. Repeti o processo, e continuei a fazê-lo sempre que a depressão reaparecia. Cada vez que eu praticava, ela ficava cada vez mais fraca, e, em poucos dias, tinha desaparecido por completo.

"No momento em que aceitar todos os problemas que lhe foram destinados, a porta se abrirá."
Rumi

Sei, sem sombra de dúvida, que nunca mais vou sofrer de depressão. Ela deixou o meu corpo para sempre.

Se sou capaz de fazer isso com a depressão, você é capaz de fazer o mesmo com qualquer sentimento negativo. Quando fizer, entenderá melhor o processo. Dissolver uma emoção negativa em ascensão é a melhor sensação do mundo. Em vez de resistir aos sentimentos de depressão, que só piorava as coisas e as mantinha dentro de mim, fiz o oposto. À minha própria maneira, ainda que naquele momento não soubesse, eu tinha intuitivamente acolhido o sentimento negativo da depressão.

Desde aquela época tenho usado a mesma prática para quaisquer sentimentos negativos que surgem e também para pensamentos negativos ou quaisquer sensações de dor no corpo, como cãibras no pé ou dores de cabeça. Descobri que as sensações físicas podem se dissolver tão depressa quanto os sentimentos negativos quando não resistimos a elas.

Use o processo de acolhimento para tudo que faça você se sentir mal, qualquer pensamento ou história negativa, sentimento negativo, sensações ou memórias dolorosas e crenças limitantes. O acolhimento liberta você do cativeiro emocional e permite que a sua vida mude para melhor de todas as formas possíveis.

"Quando amamos o ódio, paramos de odiar. O amor sempre vence. Amar o ódio significa acolhê-lo. Não significa que devemos fazer o que ele diz, mas também não devemos suprimi-lo. Quando amamos o ódio, nos colocamos de fora do processo de odiar, e, dessa forma, o amor desponta."
Francis Lucille, em The Perfume of Silence

Sentimentos negativos como o medo podem ser extremamente desconfortáveis ou até mesmo paralisantes, e é por isso que muitas pessoas desenvolvem o hábito de suprimi-los de maneira automática, em vez de enfrentá-los. No entanto, nos enganaram. Pode ser difícil acolher o sentimento negativo, sem tentar afastá-lo, mesmo por alguns segundos, sobretudo quando ele se intensifica, mas, por fim, ele desaparece por completo.

Quando você permite que um sentimento ruim esteja presente sem suprimi-lo, esse sentimento nunca terá a mesma força sobre você. Você o enfraqueceu, e agora ele está se extinguindo. Permita que o sentimento esteja presente mais algumas vezes, e ele será liberado do seu corpo. Observe, então, quanta felicidade inunda o seu corpo e quanta bondade inunda a sua vida a partir da liberação de apenas um único sentimento negativo.

"Às vezes, nós nos rendemos a um sentimento e percebemos que ele volta ou persiste. Isso acontece porque existem mais coisas às quais ainda precisamos nos render. Fomos acumulando esses sentimentos por toda a

vida, e pode haver muita energia empurrada para debaixo do tapete que precisa emergir e ser acolhida. Quando nos rendemos, na mesma hora surge um sentimento mais leve e feliz, quase como uma 'onda'."
Dr. David Hawkins, em Letting Go

O alívio que você vai sentir ao liberar sentimentos negativos do seu corpo é extraordinário. E, a cada sentimento negativo liberado, seu corpo vai ficar mais leve, sua vida, mais fácil, e você vai ver que a sua felicidade se expande. Também vai ganhar ritmo conforme faz isso com mais frequência, e se torna cada vez mais fácil se livrar dos sentimentos negativos. Vai chegar a hora em que a maioria dos sentimentos negativos se dissolvem de imediato, porque são automaticamente liberados no momento em que você se torna consciente deles. É este o poder infinito da Consciência.

"Liberar é como respirar — algo natural. Inspire e expire."
Minha mestra

"É para isso que serve cada sentimento desconfortável — é para isso que serve a dor, para isso que serve o dinheiro, para isso que servem todas as coisas no mundo: para a sua autopercepção."
Byron Katie, em Loving What Is

Todo sentimento negativo existe para encaminhar você de volta para quem você é. Eles o alertam para o fato de que você está acreditando em histórias mentirosas; portanto, acolha esses sentimentos e viva a sua vida como a magnífica Consciência que você é. Não é irônico que os sentimentos negativos, algo que fazemos de tudo para evitar, sejam justamente as coisas que nos libertam?

"Aquilo que o machuca, o abençoa. A escuridão é a sua vela."
Rumi

Aproveite as emoções negativas que surgirem como uma oportunidade para se libertar para sempre de cada uma delas. Como diz a minha mestra, uma emoção negativa só emerge quando você está pronto para se libertar dela. Acolha a emoção, sem tentar mudá-la ou se livrar dela. Você é o Ser Infinito, e acolher é a sua verdadeira natureza. Acolha todos os sentimentos negativos até estar livre deles de uma vez por todas.

"É possível estar em um ambiente 'pacífico' e, mesmo assim, se sentir atormentado, da mesma forma que é possível estar em um ambiente perigoso, barulhento e repleto de sentimentos negativos e, mesmo assim, estar em paz."
Jan Frazier, em Opening the Door

Como acolher sentimentos relacionados a assuntos sobre os quais você tem uma opinião forte ou uma posição veementemente contrária, como a crueldade com animais?

Compreenda que os sentimentos ruins que você tem em relação a esse assunto estão *lhe* causando mal e não ajudam no que interessa de verdade. Acolha as sensações e os sentimentos que o assunto provoca em você. Acolha a sua desaprovação, acolha os seus sentimentos de injustiça e deslealdade. Acolha sem parar, até não sobrar mais nenhum sentimento ou sensação quando pensar no assunto.

Você pode pensar que não quer parar de sentir a dor associada a um determinado assunto por receio de parar de se preocupar com ele. Mas essa é uma história que a mente está lhe contando, e a verdade é justamente o contrário. Resistir fortemente a um assunto só o alimenta, fornecendo energia e poder a ele, fazendo com que ele cresça. Portanto, quando você libera os seus sentimentos negativos em torno desse assunto, libera toda a energia que estava concentrada nele e *enfraquece* as circunstâncias que o envolvem. Sem essa emoção negativa, o seu amor e a sua compaixão, que surgirão no lugar das emoções negativas, têm um poder nuclear e podem fazer uma diferença enorme no mundo.

Permita-me falar um pouco sobre Lester Levenson. Lester alcançou a iluminação ao liberar todas as suas emoções e crenças negativas ao longo de um período de três meses. Antes disso, ele tinha diversos problemas de saúde, como depressão, enxaqueca, desconfortos gastrointestinais, icterícia, fígado aumentado, cálculos renais, problemas no baço, hiperacidez, úlceras que haviam perfurado o seu estômago e provocado lesões e doença arterial coronariana.

Todas essas doenças e aflições desapareceram à medida que Lester liberava os sentimentos negativos reprimidos. Ele batizou a prática de liberar emoções negativas de "Sedona Method" [Método Sedona, em inglês], e, mais tarde, sob a tutela de um dos seus pupilos, Hale Dwoskin, que aparece tanto em *O Segredo* quanto neste livro, o método de Lester continuou atingindo inúmeras pessoas mundo afora.

"Eu estava deixando tudo para trás, desfazendo o inferno que havia criado. Ao compensar tudo com o amor, ao tentar amar em vez de tentar ser amado, ao assumir a responsabilidade por tudo que estava acontecendo comigo e ao encontrar o meu subconsciente e corrigi-lo, eu me tornei cada vez mais livre e feliz."

Lester Levenson

"Pense em uma lembrança dolorosa do início da sua vida, em um enorme arrependimento que foi ocultado. Observe todos os anos e anos de pensamentos associados a esse único acontecimento. Se pudéssemos renunciar ao sofrimento subjacente a ele, todos esses pensamentos desapareceriam na hora e nos esqueceríamos do acontecimento."

Dr. David R. Hawkins, em Letting Go

Quando liberamos ou acolhemos um sentimento suprimido evocado a partir de uma memória, não importa o quão antiga ela seja, as centenas e os milhares de pensamentos associados a ela a acompanharão e serão liberados também. Não existe nada melhor do que isso! Não há como descrever a leveza, a felicidade e a "onda" que sente ao liberar os sentimentos ligados às lembranças sofridas, sem mencionar o quanto a sua vida muda. Você entenderá muito bem como esses sentimentos reprimidos afetavam a saúde do seu corpo no momento em que liberá-los. E quando perceber que todas as instâncias da sua vida estão começando a mudar para melhor, pois sem dúvida mudarão, saberá por experiência própria que esses sentimentos também estavam atrapalhando a sua vida.

Certa vez apliquei essa prática a uma experiência dolorosa da minha infância que me acompanhara por toda a vida, e hoje não consigo mais me lembrar da experiência, apenas de tê-la liberado. Quando liberei a sensação de sofrimento que a memória evocava, ela levou consigo todas as lembranças daquele episódio, tanto que a própria memória sumiu!

Lembranças dolorosas são fardos pesados demais; eles nos impedem de termos a vida que merecemos e não representam quem somos. Você pode se libertar das lembranças dolorosas.

"Observe o *sentimento* por trás de cada pensamento, e ele se dissolverá. É um mecanismo de autolimpeza. Use o atalho de dissolver sentimentos para dissolver centenas de pensamentos negativos ao acolher esses sentimentos."

Minha mestra

É inspirador saber que a liberação de apenas um sentimento negativo leva embora centenas, às vezes milhares, de outros pensamentos negativos. Ao dissolver os seus sentimentos negativos, você elimina pensamentos de dúvida, de autodepreciação, de necessidade da aprovação alheia, de insegurança, de falta de confiança e todo tipo de pensamento negativo que o impede de ter uma vida repleta de maravilhas e de felicidade contínua. A cada sentimento negativo que é liberado, a sua vida dispara.

A Superprática

Quero compartilhar com vocês uma prática inestimável ensinada pela minha mestra, que mudou a minha vida e que uso todos os dias. É uma combinação simples, mas poderosa, das duas práticas mais importantes e vitais deste livro — acolher e continuar a ser Consciência. Minha mestra diz que, se você continua a ser Consciência, o corpo funciona como um mecanismo automático de autolimpeza. Isso significa que, enquanto você continua a ser Consciência, enquanto repousa como ela, a energia aprisionada de cada emoção negativa vai automaticamente se desprendendo e sendo liberada do seu corpo sozinha! Às vezes, você consegue até mesmo sentir a energia se desprendendo na região ao redor do seu peito.

Passo 1. Acolha qualquer coisa negativa

Abra o seu coração e acolha quaisquer reações negativas, sentimentos negativos, sensações negativas, pensamentos negativos ou problemas no momento em que eles aparecerem.

Passo 2. Continue a ser Consciência

Continue a ser Consciência, mantendo a sua atenção ampla como se fosse a grande-angular de uma câmera, de modo que ela não esteja focada em um único detalhe.

Como a Consciência é naturalmente acolhedora, você vai descobrir, depois de executar a Superprática por um tempo, que ambas as etapas se fundem em uma só. Vai perceber que, no momento em que acolhe, a Consciência se torna presente de imediato.

Desde que adotei esta prática, tenho notado que as emoções e as reações negativas ficaram bem mais fracas e passaram a se desfazer depressa. Cheguei até mesmo ao ponto de amar o surgimento de uma emoção ou reação negativa, porque isso não apenas me lembra de acolhê-la e de continuar a ser Consciência, mas também porque me sinto tão *bem* quando ela se dissipa.

Uso a mesma prática quando surge uma situação, uma circunstância ou um problema negativos. Abro a minha atenção, abro o meu coração, acolho o sentimento negativo sobre a situação, e então continuo a ser Consciência da melhor forma que posso. (Uma forma inestimável de fazer isso é amar a Consciência. O simples fato de amar a Consciência faz com que você dê total atenção a ela.) Descobri que, ao efetuar essa prática, a situação negativa muda logo em seguida. Na verdade, não haveria como não mudar, porque é justamente a resistência o que nos mantém em uma situação negativa!

"No estado de consciência, todo sofrimento acaba."

Jan Frazier, em When Fear Falls Away

Alguns anos atrás, passei por uma situação que a maioria das pessoas consideraria extremamente assustadora e estressante. No entanto, devido ao acolhimento e a ter continuado a ser Consciência, ela não me afetou da mesma forma que teria afetado antes, quando ainda não conhecia estas práticas.

Uma série de incêndios florestais ameaçava destruir a comunidade em que moro. Tive que sair da minha casa, mas senti um estado de paz e tranquilidade em relação à segurança dela. Eu me sentia calma porque ficaria bem com o que quer que acontecesse. Precisei abandonar a casa e poderia perdê-la, mas sabia com toda certeza que seria para melhor e que, se algo acontecesse, era porque a vida precisava me levar para uma direção diferente. As chamas ficaram fora de controle por muitas semanas, destruindo tudo pelo caminho. Por fim, o incêndio se aproximou da minha casa, e estava atingindo casas próximas. Mas não senti medo ou apego a qualquer resultado. Sabia que permaneceria feliz independentemente de a casa pegar fogo ou não. Sem resistência a qualquer coisa que acontecesse, minha casa permaneceu intacta. Fui capaz de acolher a situação, e não tenho dúvidas de que a paz e a calma que senti diante daquele incêndio se deveram ao acolhimento que eu havia praticado outras vezes.

"Percebi a quantidade de desespero que surge a partir da resistência aos fatos, ou de viver no passado ou no futuro. Acho que nunca havia me dado conta de quanta dor eu sentia. É como se estivesse há cinquenta anos batendo com um martelo no meu próprio queixo, e então, de repente, o martelo caísse da minha mão."

Jan Frazier, em Opening the Door

Estar livre de emoções negativas vale cada segundo de dedicação. Tenho me sentido bem durante a maior parte do tempo desde que descobri O Segredo, em 2004, mas atualmente existo na maior parte do tempo em um estado de delicada felicidade graças ao conhecimento e às práticas que compartilho neste livro.

Você consegue se imaginar vivendo um único dia sem nenhuma emoção negativa afetando você, que dirá um mês ou um ano? Se não tivesse emoções negativas, não teria os pensamentos negativos que se contrapõem ao que você deseja, e se tornaria um ímã para toda e qualquer coisa que deseja! Quando experimentar isso, saberá que esta é a verdadeira alegria da vida.

CAPÍTULO 7 *Resumo*

- *A felicidade é o seu estado natural; portanto, se não está se sentindo feliz nesse instante, é porque existe um sentimento negativo que impede a felicidade de estar presente.*

- *Esteja consciente do sentimento negativo sem resistir a ele, sem expressá-lo ou julgá-lo de nenhuma forma, e você verá que é apenas um sentimento.*

- *A energia por trás de um sentimento negativo será liberada naturalmente quando você permitir que o sentimento esteja presente. É um processo automático.*

- *O acolhimento é uma prática que erradica sentimentos negativos. É o oposto de resistir. O acolhimento diz a um sentimento negativo: "Você é bem-vindo aqui."*

- *No começo, para acolher com maior eficácia, ao abrir a atenção pode ser útil abrir também os braços. Da mesma forma, você pode conscientemente abrir o seu coração.*

- *Use o processo de acolhimento para qualquer coisa que faça você se sentir mal, quaisquer pensamentos, histórias, sentimentos, sensações negativos ou memórias dolorosas e crenças limitantes.*

- *Quando você permite que um sentimento ruim esteja presente sem suprimi-lo, esse sentimento nunca terá a mesma força sobre você.*

- *Todo sentimento negativo existe para encaminhá-lo de volta para quem você é. Eles o alertam para o fato de que você está acreditando em histórias menti-*

rosas; portanto, você pode acolher esses sentimentos e viver a sua vida como a magnífica Consciência que é.

- *Uma emoção negativa só emerge quando você está pronto para se libertar dela.*

- *Quando você libera os seus sentimentos negativos em torno de um tema sobre o qual tem convicções fortes, você libera toda a energia que estava concentrada nele e enfraquece as circunstâncias que o envolvem.*

- *Quando acolhemos um sentimento suprimido evocado a partir de uma memória, todas as centenas ou os milhares de pensamentos associados a ela serão liberados com o sentimento.*

- *Não há como descrever a leveza, a felicidade e a "onda" que você sente ao liberar os sentimentos ligados às lembranças sofridas.*

- *A Superprática*
  Passo 1. Acolha qualquer coisa negativa.
  Passo 2. Continue a ser Consciência (amar a Consciência é uma forma de continuar a ser Consciência).

CAPÍTULO 8

CHEGA DE SOFRIMENTO

"A conclusão é a seguinte: o sofrimento é opcional."
Byron Katie, em A Mind at Home with Itself

Você não foi feito para sofrer. E, quando vive como o seu verdadeiro eu, a Consciência, nunca sofre. Pode ser difícil imaginar uma vida sem sofrimento, mas, sem sombra de dúvida, essa pode ser a sua vida neste exato instante.

"Há dor no corpo, mas o sofrimento acontece na mente."
Anthony de Mello, S.J.

"Seu eu superior não sofre. O eu que você conhece dificilmente consegue descobrir como não sofrer."
Jan Frazier, em The Freedom of Being

O sofrimento é causado pela crença em pensamentos negativos. Portanto, o sofrimento é autoimposto.

"Descobri que eu sofria quando acreditava nos meus pensamentos, mas que, quando não acreditava neles, não sofria, e que isso é verdadeiro para todos os seres humanos. A liberdade é simples assim."
Byron Katie, em A Thousand Names for Joy

"Sempre que você está sofrendo, seu sofrimento está relacionado a um único pensamento: 'Não gosto disso.' Em outras palavras, permitimos que um único, inconsistente e insignificante pensamento estrague a nossa felicidade."
Rupert Spira, na palestra "Suffering is Contained in a Single Thought"

A mente tende a responder às circunstâncias da vida com "não, não, não", enquanto a Consciência sempre responde a tudo com "sim, sim, sim".

"A consciência diz 'sim' até para o 'não'."
Minha mestra

Dizer "não" faz com que você se apegue ao que não quer para si mesmo. Dizer "sim" ao que não quer faz com que a resistência desapareça, permitindo que aquilo que você não quer mude. É contraintuitivo, mas é assim que funciona. Quando você diz "Não, não quero isso", está resistindo, e, como já compreendeu, aquilo a que você resiste, persiste.

"Se você viver nesse estado de aceitação, não vai mais criar negatividade, sofrimento ou infelicidade. Você vai estar vivendo em um estado de não resistência, em um estado de graça e leveza, livre de esforço."
Eckhart Tolle, de O poder do agora

"Sou uma entusiasta daquilo 'que é', não porque sou espiritualizada, mas porque brigar com a realidade dói."
Byron Katie, em Ame a realidade

"Se tivesse que deixar a resistência de lado agora mesmo, para nunca mais fazer isso de novo, com esse único gesto, você se livraria de uma enorme carga de sofrimento."
Jan Frazier, em The Freedom of Being

Se não resistimos ao que aconteceu, não há conflito, e a energia produzida pela situação passa. Quando não resistimos a algo, essa coisa não consegue permanecer na nossa vida. Por outro lado, se resistimos ao que aconteceu, nos agarramos à situação, e continuaremos a sofrer. O incrível mestre Sailor Bob Adamson nos ensina a apenas permitir que as experiências venham e vão, sem julgá-las.

"O apego, a relutância, a resistência ou a rejeição são os únicos responsáveis pelo sofrimento psicológico."
Peter Lawry, na palestra "No Separation"

"A maioria das pessoas vai para o túmulo acreditando que o sofrimento é inevitável. Isso é triste demais. Se você rejeitar a possibilidade de que poderia ser de outra forma, sofrerá sem necessidade até o dia da sua morte. Mas preste atenção: o fim do sofrimento seria o menor dos benefícios se você se tornasse livre. O verdadeiro milagre não é o fato de a angústia ser obliterada, mas as riquezas que inundariam este recém-liberado 'espaço'."
Jan Frazier, em When Fear Falls Away

Um Fim Instantâneo Para o Sofrimento

O que estou prestes a compartilhar pode não ser a coisa mais fácil de entender, mas, se você conseguir, vai deixar de sofrer imediatamente. A nossa mente faz com que tenhamos a sensação de que *nós* somos os únicos que sofrem e, é claro, como não questionamos as crenças da nossa mente, o sofrimento é imenso. Mas a verdade é que você é aquele que está *ciente* do sofrimento, e não aquele que sofre. Quem sofre é a ideia que você tem de si mesmo, aquela na qual acredita, mas que não é quem você é de verdade.

"O sofrimento acaba quando você reconhece que não há ninguém para sofrer."
Hale Dwoskin

A sugestão da minha mestra é que você faça a si mesmo a seguinte pergunta:

"Eu sou aquele que sofre ou aquele que está consciente do sofrimento?"

Se conseguirmos parar de acreditar naquilo que a mente nos sugere — de que somos aqueles que estão sofrendo —, o sofrimento acabará imediatamente.

"Uma vez que a natureza da mente é compreendida, o sofrimento não consegue existir."
Byron Katie, em A Mind at Home with Itself

"A consciência abre a porta, dissolve todas as crenças, opiniões e ideias que estão no caminho e encobrem o seu estado natural de felicidade."
Anthony de Mello, S.J.

"Não é de se admirar que quando a engrenagem do sofrimento desmorona e a mente se acalma, a sensação é a de que você voltou para casa. A sua casa encontrou você — em geral, é essa a impressão, uma vez que você não vinha necessariamente tentando encontrar o caminho até lá, não de forma consciente ao menos. Ou talvez você estivesse fazendo isso, mas agora percebe que estava procurando nos lugares errados."

Jan Frazier, em The Great Sweetening: Life After Thought

Há uma crença em particular que é a raiz de todo o sofrimento no mundo: a crença de que somos uma pessoa isolada. Com o pensamento, a sua mente o convence de que você é apenas uma pessoa e de que, portanto, está exposto a toda uma infinidade de coisas que podem dar errado. Se acreditar na história de separação que a sua mente conta, estará completamente sob o controle da mente. Sua mente vai produzir um fluxo constante de pensamentos assustadores, indicando que você está vulnerável, que coisas ruins podem acontecer com você e que você e a sua vida são limitados. Infelizmente, se acreditar nisso, sua vida se tornará assim. No entanto, a verdade é exatamente o contrário. Não estamos separados. Há a *aparência* de que somos uma pessoa isolada, e estamos passando pela *experiência* de ser uma pessoa isolada, mas, para ter uma vida magnífica repleta de felicidade duradoura, esteja ciente da verdade — você é infinito, eterno, Percepção-Consciência, e há apenas Um de nós.

O Fim dos Problemas

Acreditamos que temos um problema quando algo acontece de maneira diferente da que esperávamos ou quando sentimos que alguma coisa deu "errado". A resposta imediata da nossa mente a um problema é: "Eu não quero isso!" Contudo:

"Os problemas existem apenas na mente humana."
Anthony de Mello, S.J., em Awareness: Conversations with The Masters

"Problemas não são reais. São apenas fruto da imaginação. Não existem. São impossíveis. Aquilo que você é está livre de problemas. Problemas são inventados — cada um deles."
Minha mestra

"Todos os problemas são baseados na memória; no momento, não existe problema algum."
Hale Dwoskin

"Se não houvesse mente humana, não haveria problemas. Todos os problemas existem na mente humana. Todos os problemas são criados pela mente."
Anthony de Mello, S.J., em Redescobrindo a vida

A verdade é que os problemas são apenas outra história criada pelos pensamentos. É a mente interpretando a vida, contando uma narrativa sobre algo que aconteceu, e transformando isso em um problema. Para experimentar a vida sem problemas, em vez de acreditar na mente, use o poder da Consciência para se tornar *consciente* da mente.

Quanto mais você vive enquanto Consciência, mais claramente verá que os problemas são limitações imaginárias. Como a Consciência Infinita que você é de verdade pode ter um único problema que seja?

"É como se você colocasse a mão no fogo e dissesse: 'Ai, está quente! Minha mão está queimando! Caramba, eu tenho um problema!' E então você coloca a mão no fogo mais uma vez, e de novo, e de novo, até que um dia percebe o que está fazendo e para. Se você tem um problema, significa que está colocando a mão nesse problema e gritando 'Isso dói!', mas agindo como se não estivesse colocando a mão nele. Você se comporta como se não estivesse fazendo isso. Mas está."

Lester Levenson, em Happiness Is Free, *volumes 1-5*

"Todos os problemas vêm do ego. Você é livre quando não dá espaço para nenhum problema."

Minha mestra

A dificuldade é que quando você *acredita* que tem um problema, com certeza vai *experimentar* um problema. Mas se consegue estar consciente de que, na realidade, a mente e os seus pensamentos estão só lhe contando outra história negativa, você permite que qualquer suposto problema se dissolva e desapareça, porque a sua crença não está detendo mais aquilo para você ou para o mundo.

"Qualquer um que disser 'Estou com problemas' tem isso na mente. Esse é o único lugar onde o problema está, porque você não pode ver nem conceber nada em qualquer outro lugar que não seja na sua mente. Tudo que olha, tudo que ouve, tudo que sente está dentro da sua mente, e passa por ela. É lá que tudo está."

Lester Levenson, em Happiness Is Free, *volumes 1-5*

"Vou lhe dizer algo muito poderoso. Não existe problema algum, em lugar algum, em tempo algum. O que existe é apenas ausência de amor."

Minha mestra

Quando você não resiste a nada, quando aceita todas as coisas do jeito que são, isso é amor. Nenhum problema é capaz de existir onde existe amor. Essa é a razão pela qual problema algum pode atingir quem você é de verdade, porque você é amor puro. Um amor tão puro que as nossas mentes não são capazes de conceber. Um amor acolhedor, receptivo, tolerante e independente. O tipo de amor demonstrado por seres iluminados como o Buda, Jesus Cristo, Lao-Tsé, Krishna e tantos outros. E esse amor puro que você é não tem problemas.

Contudo, do ponto de vista de uma pessoa limitada, os problemas parecem reais. A reação da nossa mente é o oposto da reação da Consciência Infinita, e ela resiste e nega a forma como alguma coisa é, em vez de aceitá-la e permitir que ela seja dessa maneira.

"A vida é uma série de mudanças naturais e espontâneas. Não resista a elas — isso só gera tristeza. Deixe a realidade ser a realidade. Deixe as coisas fluírem da maneira que elas quiserem."
Lao-Tsé

"Quando não há investimento emocional para tentar forçar as coisas a se tornarem do jeito que queremos que elas sejam, elas ficam livres para serem e se resolverem sozinhas."
Kalyani Lawry

Usando os princípios de *O Segredo*, descobri que, quando estou feliz, praticamente não há problemas na minha vida. Isso acontece porque, quando me sinto feliz, ou os problemas não aparecem, ou são tão insignificantes que não tem capacidade de perturbar a minha felicidade. Quando estou feliz, os problemas são do tamanho de formigueiros, em comparação a quando estou aflita e o menor deles parece uma montanha. Então, não faz sentido que, no grau mais alto de felicidade, no qual sabemos quem somos, não exista problema algum?

"Os problemas do mundo não têm fim. Se tentar encontrar esse fim, continuará para sempre resolvendo problemas, e sempre vai se deparar com mais e mais. Enquanto estiver ciente dos problemas, eles existem. Somente após descobrir quem você é de verdade é que vai encontrar o fim dos problemas."

Lester Levenson, de Happiness Is Free, *volumes 1-5*

Como se Libertar de Problemas Para sempre

"Você pode se libertar de qualquer coisa. Quer dar atenção a um problema mudando-o, consertando-o, tentando resolvê-lo ou quer se livrar dele?"

Minha mestra

Quando compartilhei com a minha mestra o que considerava um grande problema, ela me disse as palavras a seguir. Ninguém jamais vai poder oferecer a você palavras mais claras:

"Pare de se concentrar no problema. Pare de querer que ele seja mais ou menos. Pare de querer que ele desapareça. Pare de querer mudá-lo. Pare de querer compreendê-lo. Pare de querer controlá-lo. Ele vai colapsar naturalmente quando você decidir ser Consciência. Tudo que não é amor desmorona diante do amor. Tudo que não é real desmorona diante da Consciência."

Minha mestra

Como *O Segredo* explicou, quando damos atenção a alguma coisa, damos energia a ela; assim, quando damos atenção a um problema, damos energia ao problema e ele cresce. Tentar corrigir um problema, resolvê-lo, controlá-lo ou erradicá-lo significa que estamos dando atenção a ele!

Quando desviamos a atenção do problema, ele desaparece porque toda a energia foi removida dele. Por fim, ele acaba desmoronando. É como tirar o oxigênio de um incêndio — o fogo se apaga.

"Tentar se livrar de um problema é se apegar a ele. Sempre que tentamos nos livrar de alguma coisa, nós a retemos na mente e, portanto, nutrimos o problema. Assim, a única maneira de corrigir um problema é abrindo mão dele. Não olhe para o problema. Olhe apenas para o que você deseja."

Lester Levenson, na gravação de Will Power

E, uma vez desviada a atenção de todos os problemas, você pode usar a mente para criar o que deseja, voltando tanto ela quanto os seus pensamentos para o que deseja.

"A energia flui para onde a atenção estiver apontando."

Michael Bernard Beckwith, em O Segredo

Damos atenção para coisas que não queremos, esperando que elas mudem, quando, na verdade, acontece o contrário. Temos que tirar a nossa atenção de um problema para permitir que ele se dissolva. Certa vez ouvi alguém dizer que os problemas são como um convidado indesejado; se não dermos nenhuma atenção a um convidado indesejado, ele vai embora!

Use o poder da sua Consciência para ficar consciente dos pensamentos e das histórias negativas da sua mente e, assim, dissolvê-los; dessa forma, estará livre de todos os problemas e do sofrimento. Este é apenas outro exemplo da alegria e da felicidade que vai sentir quando se mantiver no estado de Consciência que você é.

"Este é um milagre que se desenrola suavemente. Seja paciente. Você sempre fez isso de outra maneira, acreditando estar à mercê da vida. Não ache que as coisas se resolverão de uma vez."

Jan Frazier, em The Freedom of Being

CAPÍTULO 8 *Resumo*

- *Você não foi feito para sofrer. E quando vive a vida como o seu verdadeiro Eu, a Consciência, você nunca sofre.*

- *O sofrimento é causado pela crença nos pensamentos negativos. Portanto, o sofrimento é autoimposto.*

- *Se resistimos ao que acontece, nos agarramos à situação, e continuamos a sofrer.*

- *Pergunte a si mesmo: "Sou aquele que está sofrendo ou aquele que está consciente do sofrimento?" A verdade é que você é aquele que está consciente do sofrimento, não aquele que sofre.*

- *Há uma crença em particular que é a raiz de todo o sofrimento no mundo: a crença de que somos uma pessoa isolada.*

- *Problemas só existem na mente humana. Eles não são reais. São apenas fruto da imaginação.*

- *Para experimentar uma vida livre de problemas, em vez de acreditar na mente, use o poder da Consciência para se tornar consciente da sua mente.*

- *Ao darmos atenção a um problema, nós o energizamos e ele cresce. Quando desviamos a nossa atenção do problema, ele desaparece, porque toda a energia foi removida dele.*

- *Uma vez que desviar a sua atenção de todos os problemas, pode usar a mente para criar o que deseja, voltando tanto ela quanto os seus pensamentos para o que deseja.*

- *Use o poder da sua Consciência para estar consciente dos pensamentos e das histórias negativas da sua mente e, assim, dissolvê-los; dessa forma, você estará livre de qualquer problema e sofrimento.*

CAPÍTULO 9

DISSIPANDO AS CRENÇAS LIMITADORAS

> "Todas as crenças são limitações imaginadas."
> *Minha mestra*

O que *é* uma crença? Uma crença é um pensamento no qual pensamos de forma recorrente — até começarmos a acreditar nele. Todas as crenças são limitadoras porque vêm da mente. Vejamos um exemplo: a crença que diz que algo "é bom demais para ser verdade". Primeiro ouvimos isso ser dito por outras pessoas, depois nós mesmos começamos a ter esse pensamento, e aí, em pouco tempo, acreditamos ser verdade e passamos a enxergar evidências disso no mundo. No exato momento em que passamos a acreditar que é verdade, o pensamento se torna uma crença armazenada na mente subconsciente, e, assim, a crença opera de maneira automática, projetando-se no mundo para continuar a se provar como verdade.

> "Um pensamento é inofensivo até o momento em que acreditamos nele."
> *Byron Katie*

> "Não é o que o ego diz, mas o quanto acreditamos nele."
> *Mooji*

As crenças também geram outros pensamentos baseados nela mesma, e os pensamentos são reproduzidos como discos arranhados. A partir da crença de que "algo é bom demais pra ser verdade", a mente subconsciente reproduz pensamentos como: "Quando me sinto feliz assim, tenha a sensação de que algo ruim vai acontecer", "Tire o máximo de proveito disso, porque não vai durar muito tempo", "Depois de algo bom, sempre vem algo ruim", "Estou nervoso porque normalmente coisas boas não acontecem comigo", "Se algo parece bom demais pra ser verdade, você pode apostar que é". Muito provavelmente estes pensamentos são familiares para você, o que prova que são apenas discos arranhados da mente e que não são uma exclusividade sua.

Minha mestra diz: imagine que você atende a uma ligação e escuta uma gravação do outro lado dizendo: "Essa é uma mensagem gravada. Transfira todo o seu dinheiro para esta conta bancária agora mesmo para que possamos manter o seu dinheiro em segurança." Você faria isso? Acreditaria na gravação? É claro que não. Mas, então, por que acreditar nas gravações da mente?

Suas Crenças Causam a Sua Experiência

"Projetamos os nossos pensamentos e as nossas crenças, e eles voltam para nós na forma de experiência."
David Bingham

Você experimenta tudo aquilo em que acredita, por isso que as suas crenças são tão importantes. Elas têm o que pode ser descrito como um poder nuclear, porque vão se projetar sem parar na sua vida e se tornarão verdade. Não importa que elas sejam falsas; se você planta uma crença no seu subconsciente, ela dá frutos.

Por exemplo, se a sua crença é de que a única forma de ganhar mais dinheiro é trabalhando mais arduamente, por longas e sofridas horas, então é impossível que o dinheiro surja de lugares dos quais você jamais esperaria. Sua crença impede que o dinheiro venha de outras fontes. É assim que impomos restrições a nós mesmos por meio das crenças. Quando você tem uma crença em relação a uma pessoa, uma circunstância ou uma situação, vai experimentar essa crença. Os pensamentos não têm poder próprio sem a energia da crença por trás deles.

"Existe apenas uma causa para a infelicidade: as falsas crenças que você tem dentro da sua cabeça, crenças tão difundidas e comuns que jamais lhe ocorreu questioná-las."
Anthony de Mello, S.J., em The Way to Love

"O que provoca a infelicidade são as falsas crenças sobre o que a Vida realmente é."
Peter Dziuban, em Simply Notice

Podemos também nos tornar muito apegados às nossas crenças, mesmo quando elas provocam estresse e sofrimento reais e nos aprisionam no desespero. Elas podem nos manter pobres, nos deixar doentes, nos encher de medo e prejudicar ou destruir os nossos relacionamentos. Não faz sentido valorizar ou sustentar essas crenças.

Quaisquer que sejam as situações que você tem diante de si, elas estão sendo geradas pelo seu sistema de crenças na sua mente subconsciente.

"Ao mudarmos as nossas crenças, nós nos tornamos capazes de melhorar as experiências que temos."
David Bingham

"Muitas das nossas ideias e crenças sobre nós mesmos e o mundo são tão profundamente arraigadas que não temos consciência de que são crenças, e as consideramos, sem nenhum questionamento, verdades absolutas."
Rupert Spira, em The Transparency of Things

Como disse o falecido dr. David R. Hawkins:

"Muitas vezes, é de grande valia observar algumas das crenças mais comuns e abandoná-las logo no início, como:

1. Só merecemos as coisas por meio do trabalho árduo, da luta, do sacrifício e do esforço.

2. O sofrimento traz benefícios, nos faz bem.

3. Nada vem de graça.

4. As coisas simples demais não têm valor."
Dr. David R. Hawkins, em Letting Go

Os grandes sábios nos exortam a questionar tudo. Por meio do questionamento, podemos descobrir quais das crenças limitantes encobrem a verdade em relação a nós mesmos e a verdade por trás do mundo.

"Nada do que você acredita é verdade. Saber disso é libertador."
Byron Katie

Nós acumulamos crenças no subconsciente desde a infância, assim que conseguimos compreender algo que estava sendo dito pelos adultos. As crenças se formam quando aceitamos um pensamento particular como sendo verdadeiro, seja alguma coisa lida ou vista na televisão, seja quando aceitamos um conceito que outra pessoa nos contou. De uma forma ou de outra, todas elas vêm de outras pessoas, sejam pais, familiares, amigos, professores ou da sociedade. No momento em que acreditamos no que outra pessoa nos diz, a crença entra no subconsciente e, de lá, passa a atuar na nossa vida!

Por exemplo, se uma pessoa tem a seguinte crença: "Tenho dificuldade de perder peso e manter a forma", isso vai impedi-la de manter a forma, não importa o que ela faça.

Com o tempo, as crenças se tornam cada vez mais arraigadas, pois acrescentamos mais e mais pensamentos a elas, como: "Deve ser o meu metabolismo que faz com que seja tão difícil perder peso", "Já tentei um monte de dietas diferentes, mas nunca consigo ficar em forma", "Levo séculos para perder peso, mas em pouquíssimo tempo ele volta", "Estar acima do peso é uma coisa típica da minha família".

"A mente subconsciente nos controla — ela nos torna vítimas do hábito."
Lester Levenson, em Happiness Is Free, *volumes 1-5*

A boa notícia é que, visto que as crenças são feitas apenas de pensamentos frágeis, elas podem ser erradicadas com facilidade uma vez que você se torna consciente delas. Enquanto as crenças estiverem armazenadas na mente subconsciente, elas continuarão a se manifestar na sua vida. Porém, no momento em que você se torna consciente de verdade de uma crença, ela se desfaz. Assim como quando os sentimentos negativos são todos liberados, quando todas as crenças subconscientes se tornam conscientes, o resultado é que você permanece para sempre como Consciência. Na verdade, quando você erradica um, ao mesmo tempo erradica o outro. Eu adoto uma abordagem dupla e libero as crenças e os sentimentos negativos sempre que eles surgem.

O ato de expor as crenças limitadoras logo conduz você à felicidade duradoura e à total liberdade. Nesse processo, seu dia a dia melhora muito em todas as áreas, porque a sua vida não mais está limitada pelas suas crenças. Se existe algo que você acha que não pode ser, fazer ou ter, isso é uma crença limitadora. Imagine a sua vida sem qualquer limitação!

Dissolvendo Crenças

Você dissolve crenças usando a Consciência — tornando-se conscientemente ciente delas. No momento em que está *consciente* de que uma crença não é verdadeira, a maior parte dela colapsa e se dissolve. Se trouxer ela de volta à sua mente pensante, lembrando a si mesmo de que ela é apenas uma crença, de que não é verdadeira, esse escrutínio faz com que o restante da crença se dissolva. Este é o poder infinito da Consciência.

Pode ser um pouco complicado detectar as suas crenças, pela simples razão de que você acredita nelas como verdade, não como crenças! No entanto, quando você se torna consciente de uma crença, a dissolução começa, e o que sobra da crença entra em colapso por meio da conscientização contínua em relação a ela.

Você pode até chegar ao ponto em que nem lembra mais no que costumava acreditar, porque a crença desapareceu por completo. Tanto crenças quanto memórias consistem em pensamentos, e são armazenadas na mente subconsciente, por isso, se uma crença é apagada, todos os pensamentos ligados a ela também são, incluindo os pensamentos que compõem a lembrança.

"Abra mão de tudo aquilo em que você acredita. Você vai ter que faz isso, mais cedo ou mais tarde. Não tem como levar consigo os seus sistemas de crenças quando morrer, então por que não se desfazer deles agora? Abandone as crenças uma a uma. Descubra a alegria de viver sem apego a qualquer sistema de crenças. O apego a crenças como 'A felicidade exige esforço' ou 'É preciso sofrer para ser feliz' é muito profundo."
Francis Lucille, em The Perfume of Silence

A cada crença da qual você se torna consciente e que, consequentemente, se dissolve, sua vida ganha um impulso enorme em direção à liberdade, à abundância, à leveza e a uma alegria que você jamais imaginou. Desfaça-se dessas crenças, uma por uma, e liberte-se! A Consciência não tem crença alguma, porque a Consciência *sabe* de tudo.

"Na verdade, os sistemas de crença não são nada. É fácil abandoná-los. Eles só parecem ameaçadores! Melhor deixá-los partir o quanto antes e viver feliz para sempre."
Francis Lucille, em The Perfume of Silence

Você pode dar à mente subconsciente uma instrução para que ela lhe indique com clareza quais são as suas crenças, de modo que se torne mais consciente delas. Instrua o seu subconsciente com palavras como:

"Mostre-me as minhas crenças de forma clara, uma por uma, para que eu tome consciência de cada uma delas." Então, fique atento para percebê-las quando aparecerem.

Esteja muito consciente quando se ouvir dizer "Acredito que..." ou "Não acredito que...", porque o que vem depois dessas palavras é uma crença. Esteja muito consciente quando se ouvir dizer "Acho que..." ou "Não acho que...", porque provavelmente o que vem a seguir também vai revelar uma crença.

Quando você percebe que uma crença é realmente apenas uma história mental que você "comprou", a crença não apenas se dissolve como também leva consigo os milhares e milhares de pensamentos ligados a ela — que estavam todos enterrados na mente subconsciente. Crenças não são feitas apenas de um pensamento; elas sempre atraem novos pensamentos para sustentá-las e não param de acumular pensamentos enquanto são mantidas.

Uma crença pode ser mantida por anos, décadas ou até por uma vida inteira, o que explica por quê, com milhares de pensamentos vinculados a uma crença, muitos de nós nos sentimos carregando um fardo. Não percebemos que são as crenças que tornam a vida tão pesada, que fazem com que a gente se sinta velho, e que são elas que nos impedem de ter a vida que merecemos. Pense, por exemplo, em quantos pensamentos você teria associado à crença de que é uma pessoa isolada das outras. Agora, imagine a grande sensação de alívio, leveza e amplitude que sentiria quando uma crença assim se dissolvesse. Você conhecerá esse sentimento quando experimentá-lo!

"Seja como uma árvore e deixe cair as folhas mortas."
Rumi

Reações: Crenças Disfarçadas

"Reações são crenças inconscientes."
Peter Dziuban, no audiolivro Simply Notice

Outra forma de expor as crenças é tomar consciência das suas reações. Quando reagimos a alguma coisa, é porque temos uma crença enterrada em nós mesmos que provocou aquela reação. Na verdade, reações são crenças disfarçadas. Por exemplo, recebemos a conta de luz, que vem mais alta do que esperávamos. Reagimos de forma negativa. A crença que provocou aquela reação é a crença de que nos falta dinheiro, mas, assim como todas as crenças, ele só é verdade *porque* acreditamos.

Tudo que você precisa fazer quando perceber que está reagindo é tomar consciência da sua reação. Quando fica consciente da reação, você tira o poder dela, porque a sua Consciência é o poder que dissolve toda negatividade e desarmonia.

"Quando você reage, está se identificando; quando você reage, está tornando algo pessoal. Em vez disso, apenas observe a reação."
Minha mestra

Lembre-se de que é a mente que reage às coisas, não você. É a mente que se identifica com as coisas e que torna as coisas pessoais, porque estão vindo da perspectiva de uma pessoa. Quando você se torna consciente das suas reações — pelo simples ato de percebê-las quando acontecem —, você não apenas tira da mente o poder de reagir, mas também expõe a crença que está escondida por trás da reação e, uma vez exposta, ela se dissolve.

"Se existe um comportamento, uma tendência ou um hábito do qual você deseja se livrar, perceba que já existe uma consciência natural do mesmo. Se for realmente capaz de perceber isso, se observar a coisa com desapego, vai se sentir livre das garras dela na mesma hora, e livre da identificação ainda mais profunda com ele. Isso é muito poderoso."

Mooji

A consciência dissolve tudo que não é verdade. À medida que cada crença se dissolver, uma depois da outra, você vai perceber a diferença no seu corpo, se sentindo mais leve. Vai perceber a diferença na sua saúde mental, se sentindo mais feliz. Vai ver a diferença na sua vida; ela se tornará verdadeiramente milagrosa e sem esforços. Tudo de que você precisar, o que desejar, vai parecer cair nas suas mãos.

Gostaria de compartilhar outra história do incrível Lester Levenson. Como deve lembrar, Lester alcançou a iluminação em três meses e, ao mesmo tempo, curou o próprio corpo de várias doenças. Antes disso, Lester teve graves problemas cardíacos com apenas 40 anos de idade, e o seu médico disse que ele ia morrer em breve. Segundo o médico, Lester poderia falecer a qualquer momento, e que não havia nada a ser feito. Ele foi para casa e, nos primeiros dias, ficou apavorado. Mas, então, decidiu que, se fosse morrer, pelo menos refletiria sobre a sua vida e descobriria por que raramente havia se sentido feliz. Assim começou o processo por meio do qual ele eliminou todas as crenças e suprimiu todas as emoções negativas do corpo em apenas três meses. Depois de toda negatividade ter ido embora, o problema cardíaco se resolveu sozinho, e Lester viveu por mais quarenta anos em perfeita saúde e alegria contínua. Mais importante ainda, depois da eliminação de todas as crenças e emoções reprimidas, ele descobriu quem era de verdade.

E agora você sabe como ele fez isso.

CAPÍTULO 9 *Resumo*

- Uma crença é apenas um pensamento recorrente — até começarmos a acreditar nele. Todas as crenças são limitadoras porque vêm da mente.

- A crença fica armazenada na nossa mente subconsciente, e, a partir daí, opera de maneira automática.

- As crenças se projetarão sem parar na sua vida e se tornarão verdade.

- Quaisquer que sejam as situações que você tem diante de si, elas estão sendo geradas pelo seu sistema de crenças.

- Esteja consciente quando se ouvir dizendo "Acredito que…" ou "Não acredito que…", porque o que vem logo depois é uma crença.

- Esteja consciente quando se ouvir dizer "Acho que…" ou "Não acho que…", porque provavelmente o que vem logo depois também vai revelar uma crença.

- Questione tudo. Por meio do questionamento, podemos descobrir quais das crenças limitantes encobrem a verdade.

- Enquanto as crenças estiverem armazenadas na mente subconsciente, elas continuarão a se manifestar de maneira automática na sua vida. Porém, assim que você se torna verdadeiramente consciente de uma crença, ela de desfaz.

- A cada crença da qual você se torna consciente e que, por consequência, se dissolve, a sua vida ganha um impulso enorme em direção à liberdade, à abundância, à leveza e à alegria.

- *Você pode dar à mente subconsciente a ordem para ela lhe indicar sem sombra de dúvida as suas crenças, de modo que você se torne mais consciente delas: "Mostre-me as minhas crenças claramente para que eu tome consciência de cada uma delas."*

- *Quando uma crença se dissolve, ela também leva consigo os milhares de pensamentos ligados a ela, que estavam todos enterrados na mente subconsciente.*

- *Não percebemos que são as nossas crenças que tornam a vida tão pesada, que fazem a gente se sentir mais velho, e que nos impedem de ter a vida que merecemos.*

- *Para expor as suas crenças, tome consciência das suas reações. Na verdade, reações são crenças disfarçadas.*

- *Tudo que você precisa fazer quando perceber que está reagindo é tomar consciência da sua reação. Quando fica consciente da reação, você tira o poder dela.*

CAPÍTULO 10

FELICIDADE ETERNA

"Estou vivendo no presente eternamente feliz. Não é uma felicidade mundana, que se torna enfadonha após um tempo, de tal maneira que você aprecia uma pequena dificuldade de vez em quando, só para variar. A alegria com a qual me deparei é um bilhão de vezes mais inebriante — sempre mudando, sempre nova. Nesse estado de consciência, você sente toda a felicidade do mundo passar por você."
Paramahansa Yogananda

Você *é* felicidade. Essa é a sua verdadeira natureza! A felicidade não é algo que vai acontecer quando você conseguir algo que deseja, quando se sentir melhor, quando passar por algo desafiador ou quando alcançar um objetivo específico. A felicidade — uma fonte infinita de felicidade — está aqui, neste instante, dentro de você!

"É essencial se dar conta do Eu para ter acesso ao estoque de felicidade genuína."
Ramana Maharshi, em Be As You Are

"Não espere conquistar a paz e a felicidade genuínas na vida mundana. Esta deve ser a sua nova atitude: sejam quais forem as suas experiências, aproveite-as de forma objetiva, como se fosse um filme. Você precisa encontrar a paz e a felicidade verdadeiras dentro de você."
Paramahansa Yogananda, em Man's Eternal Quest

"A felicidade é o nosso estado natural. A felicidade é o estado natural das crianças, a quem pertence o reino dos céus, até o momento em que elas são poluídas e contaminadas pela sociedade e pela cultura. Você não precisa fazer nada para conquistar a felicidade, porque ela não pode ser conquistada. Alguém sabe por quê? Porque já a temos. Como pode conquistar algo que já tem? Mas, então, por que não consegue experimentá-la? Você precisa abandonar as ilusões. Não precisa acrescentar mais coisas para ser feliz; precisa abandonar algo. A vida é fácil, é agradável. Ela só é difícil nas suas fantasias."

Anthony de Mello, S.J., em Awareness: Conversations With The Masters

Hoje em dia, vivo o tempo inteiro com uma predisposição à felicidade, que veio do acolhimento dos sentimentos negativos e da permanência no estado de Consciência. No entanto, por diversas vezes tive verdadeiros arroubos de uma felicidade extasiante, muito além de qualquer coisa que eu tenha sentido antes. Eles pareceram ter vindo do nada. O que quero dizer com isso é que não foram causados por coisa alguma. Quando surgem, toda a negatividade desaparece. Quaisquer lembranças dolorosas da minha vida se desvanecem no momento, como se nunca tivessem acontecido. Reconheço essa felicidade extasiante na mesma hora como a felicidade da nossa verdadeira natureza. Ela não pode ser comparada com a felicidade que sentimos ao conquistarmos algo que desejamos. Este é um nível de felicidade que está acima e além de qualquer outra coisa que já senti.

Minha esperança é que, ao compartilhar isso, você possa se abrir para a possibilidade de experimentar essa felicidade também. A partir do momento em que sentir o seu estado natural de felicidade, vai querer viver somente assim.

"Encontrei uma alegria em mim que nunca desapareceu, nem por um segundo. Essa alegria está dentro de todos nós, o tempo todo."

Byron Katie, em A Thousand Names for Joy

Esta felicidade é como a sensação de se apaixonar, seja por um parceiro romântico, seja como uma mãe se encantando com o seu bebê recém--nascido. Sabe aquela sensação extasiante de estar total e completamente apaixonado? Você não quer que esse sentimento acabe nunca. A razão pela qual experimentamos um sentimento tão bom quando nos apaixonamos é porque "nos perdemos" na outra pessoa e, quando desligamos a mente do ego, a Consciência fica presente em primeiro plano, empolgada e feliz.

"Todos buscam exatamente a mesma coisa em cada uma das suas atitudes. O mundo chama isso de felicidade suprema. Nós chamamos isso do 'Eu' que sou. Descubra a si mesmo e vai descobrir a felicidade extrema e obter uma satisfação imensa."

Lester Levenson

"De maneira muito simples, felicidade é você ser o seu Eu. Não o eu limitado que você finge ser durante a maior parte do tempo, mas o Eu ilimitado que você é e sempre foi. Este é o Eu que está sempre presente sem qualquer esforço antes, durante ou depois de tudo que acontece na sua experiência. Você é o pano de fundo radiante, mas imutável, que permite que tudo mais exista."

Hale Dwoskin, em Happiness Is Free

"Para encontrar a Verdade ou a Felicidade, você precisa olhar para dentro — precisa olhar para a Unidade, precisa olhar para o Universo como ele realmente é, como nada além da sua consciência, que nada mais é que o seu Ser. Agora, isso é difícil de descrever, pois é algo que deve ser vivenciado. Você só compreende quando passa por essa experiência. Não é possível entender apenas ouvindo alguém. Livros e mestres só podem apontar a direção. Compreender depende de nós. Esta é uma das coisas agradáveis sobre o caminho. Não há nada em que devemos acreditar, tudo deve ser experimentado e revelado por e para cada pessoa, a fim da sua própria satisfação, antes que ela aceite."

Lester Levenson, em Happiness Is Free, *volumes 1-5*

Consciência é Felicidade

Você não é uma pessoa que é feliz: você é a própria felicidade. Sua verdadeira natureza, a Consciência, é a felicidade. Não há outra felicidade senão a felicidade da sua verdadeira natureza. A felicidade que você sentiu ao longo de toda a vida é a felicidade da Consciência! Nos momentos em que se sentiu feliz, você teve um pequeno vislumbre da magnificência que você é.

"Entenda que um momento de felicidade provém da graça, e esse momento está nos ensinando que a felicidade não está em um objeto. Precisamos entender que somos a felicidade naquele momento. O objeto é praticamente irrelevante. O objeto faz parte do sonho, mas a felicidade é real."

Francis Lucille, em The Perfume of Silence

E quando você está feliz, a vida segue o seu caminho. Não existe nada melhor para as circunstâncias do que você se sentir feliz. Quando está feliz, os problemas tendem a se resolver sozinhos e as coisas se encaixam facilmente, sem qualquer esforço da sua parte. Quando está feliz, é como se o Universo inteiro conspirasse ao seu favor e lhe oferecesse o que você precisa, no momento em que precisa. Quanto mais feliz estiver, menos esforço a sua vida vai exigir. Quanto mais infeliz estiver, mais esforço será necessário para tudo que faz.

"Quanto mais motivado pelo ego você é, mais difícil se torna a conquista de algo, menor é a sensação de harmonia e maior é o sofrimento."
Lester Levenson, em Happiness Is Free, *volumes 1-5*

Não Existe Felicidade no Mundo

"Alguns buscam a Felicidade onde ela está e, por consequência, ficam cada vez mais felizes. Outros procuram cegamente no mundo onde ela não está e se sentem cada vez mais frustrados."
Lester Levenson, em Happiness Is Free, *volumes 1-5*

Quando buscamos a felicidade no mundo, nossa felicidade é passageira. Não importa quantas coisas conquistemos ou quantas experiências tenhamos, a felicidade oriunda de coisas materiais ou experiências está fadada a surgir e acabar. E então voltamos a buscar a felicidade por meio de outra experiência ou coisa material. A felicidade duradoura, que acreditamos estar no mundo, simplesmente não está lá.

"No entanto, somente quando olhamos para dentro, descobrimos que toda felicidade está lá. O único lugar onde podemos sentir a felicidade é dentro de nós mesmos. É exatamente lá que ela está. Cada vez que atribuímos essa felicidade a alguma coisa que está do lado de fora, a uma pessoa ou algo externo, sentimos mais dor do que prazer."

Lester Levenson, em Happiness Is Free, *volumes 1-5*

"Não precisamos esperar pelas circunstâncias certas para ser feliz."

Rupert Spira

Cada pessoa que já viveu ou que está viva foi movida por um único propósito: o desejo de ser feliz. Tudo que fazemos, tudo que não fazemos, tudo pelo que batalhamos, tudo que projetamos, contra o que lutamos, pelo que vivemos, desejamos e sonhamos: tudo isso acontece porque acreditamos que seremos mais felizes dessa maneira e não de outra. Querer ser feliz é o único fator que nos motiva por trás de cada decisão que tomamos — e estima-se que tomamos 35 mil decisões por dia! Apesar de todos os arranjos, planejamentos, suor, de todas as atitudes, lágrimas e decisões tomadas, nada disso está nos aproximando da felicidade que buscamos no mundo em vão. O tempo todo, a felicidade que buscamos está bem aqui, dentro de nós.

"E qual é a saída? Não olhar para o mundo em busca da felicidade, mas olhar para o lugar onde a felicidade está, para dentro de nós, dentro da nossa própria consciência."

Lester Levenson, em Happiness Is Free, *volumes 1-5*

Serei Feliz Quando...

Quando acreditamos que a felicidade vem de fora, acabamos adquirindo o hábito de colocá-la de lado, esperando até atingirmos as condições certas. Você já pensou ou disse "Serei feliz quando…" e concluiu a frase com algum acontecimento no futuro? "Serei feliz quando as provas terminarem e eu puder me formar", "Serei feliz quando comprar um carro novo", "Serei feliz quando eu encontrar alguém para amar", "Serei feliz quando me casar", "Serei feliz quando tiver mais dinheiro", "Serei feliz quando me tornar uma pessoa bem-sucedida", "Serei feliz quando sair de férias", "Serei feliz quando emagrecer", "Serei feliz quando tiver um bebê", "Serei feliz quando o meu negócio estiver dando certo", "Serei feliz quando a minha saúde melhorar e eu me sentir melhor" e por aí vai.

Colocamos a felicidade "em espera" quando acreditamos que ela vem de coisas externas. Esperamos que algo ou alguém nos torne felizes, mas é impossível receber felicidade duradoura de coisas externas; isso nunca acontecerá, não importa quanto tempo esperarmos.

Talvez, se você já tiver vivido bastante tempo, sido bem-sucedido e passado por diversas e maravilhosas experiências de vida, você já tenha descoberto que a felicidade não pode ser encontrada no mundo. Pode ser que tenha constatado que isso é verdade, sobretudo se um grande sonho seu tiver se tornado realidade. Nós nos convencemos de que, quando o nosso maior sonho se tornar realidade — como realizar uma grande conquista, ficar rico, encontrar o amor perfeito ou ter filhos —, enfim seremos felizes de verdade.

No entanto, quando um grande sonho se torna realidade, mesmo que seja maravilhoso e emocionante, descobrimos que a felicidade duradoura que acreditávamos ser capaz de conquistar é quase tão fugaz quanto foi com todo o resto. Podemos finalmente perceber, através da nossa própria e amarga experiência, que a felicidade não vem de fora. Pode ser um momento muito desanimador para alguns, porque várias vezes chegamos à conclusão de que a felicidade duradoura é só uma fantasia e nunca será atingida.

Porém, a felicidade duradoura não é uma fantasia. É a verdade do seu próprio ser e é a sua natureza. Depois de toda essa busca desnecessária, é uma descoberta importantíssima compreender que a felicidade está, neste exato momento, dentro de você! Quando conseguir ver a verdade disso, a felicidade duradoura estará ao seu alcance, porque você nunca mais vai procurá-la em vão em outras pessoas ou no mundo.

"Quando entende isso, o caminho se torna bastante direto. Você para de correr atrás do arco-íris e busca a felicidade onde sabe que ela está — dentro de você."

Lester Levenson, em Happiness Is Free, *volumes 1-5*

Imagine. Bilhões de pessoas ao longo de milhares de anos têm buscado desesperadamente a felicidade todos os dias das suas vidas. Buscaram como se ela pudesse ser encontrada em qualquer lugar do mundo. E, durante esse tempo todo, ela só podia ser encontrada em um lugar — na nossa verdadeira natureza, a Consciência. A situação inteira parece ser uma grande piada cósmica, e talvez tenha sido por isso que o Buda riu tanto sob a árvore Bodhi quando, após passar dezesseis anos à procura da felicidade no mundo, ele enfim descobriu que a verdade estava dentro dele. Se pensar bem, a história nos mostra que a maioria das pessoas nunca pensou em procurar a felicidade dentro de si.

No entanto, todos nós recebemos muitos sinais ao longo das nossas vidas, em geral através de experiências ruins, que nos mostraram que a felicidade não vem do mundo. Cada vez que ela chegou e foi embora da sua vida era mais um sinal mostrando a você a importância de desviar do mundo e olhar para dentro.

Agora podemos buscar a felicidade onde ela está, em vez de onde ela não está. Pode parar de olhar para o seu parceiro ou para os seus filhos em busca da felicidade duradoura. Pode parar de olhar para o seu trabalho, para uma casa nova, roupas, férias ou um carro em busca da felicidade duradoura. Nenhuma dessas coisas é capaz de torná-lo permanentemente feliz em momento algum, porque elas estão sempre mudando. Sem mencionar que a sua personalidade está sempre mudando também; o que você gosta hoje, pode não gostar amanhã. Sua felicidade está dentro do seu eu *real* e imutável, a Consciência. Ninguém pode lhe dar felicidade.

Com certeza podemos desfrutar de todas as coisas maravilhosas que queremos ser, fazer ou ter no mundo, mas podemos desfrutar dessas coisas com o pleno conhecimento de que o único lugar onde é possível encontrar a felicidade real e permanente é dentro de nós.

"Você não conquista a felicidade. A sua natureza é a felicidade. A alegria não é recebida. Tudo que se faz é remover a infelicidade."
Ramana Maharshi

Seus pensamentos determinam como você se sente, então, se não está feliz, é porque está pensando a respeito de algo que não deseja para si. A mente só pode funcionar no passado ou no futuro, então ou você está pensando em algo que está no passado que está deixando-o infeliz, ou está pensando em algo que está no futuro que está deixando-o infeliz.

"Os pensamentos sufocam a capacidade de ser feliz."
Lester Levenson, em Happiness Is Free, *volumes 1-5*

Há sempre um pensamento entre você e a felicidade permanente, quem você é de verdade. Seja um pensamento de tristeza, medo, raiva ou frustração, no fundo, todos eles estão dizendo a mesma coisa — "Não quero isso" — em resposta a algo que aconteceu. E por acreditar nesse único pensamento, a infelicidade recai sobre você como um cobertor e oculta a felicidade que você é.

"O pensamento vem primeiro, depois o sentimento, e então a emoção (como as lágrimas). Sempre acontece dessa forma, mas frequentemente as pessoas sentem a emoção e não se dão conta de que antes tiveram um pensamento sutil que criou o sentimento e que, por fim, surgiu a emoção."
Sailor Bob Adamson

"A única razão pela qual você experimenta a infelicidade é o fato de se identificar com um pensamento infeliz."
Minha mestra

"A vida é simples. Tudo acontece *por* você, não *com* você. Tudo acontece exatamente no momento certo, nem cedo, nem tarde demais. Você não tem que gostar […], mas, se gostar, fica mais fácil."
Byron Katie, em A Thousand Names for Joy

Com sorte você está começando a perceber o caos no qual a sua vida pode se tornar quando acredita na sua mente e nos pensamentos negativos dela. Todas as vezes em que tive a oportunidade de ajudar alguém a enfrentar alguma dificuldade ou desafio, a razão do sofrimento dessas pessoas sempre era o fato de elas acreditarem nos pensamentos negativos das suas mentes. Sempre que passei por qualquer dificuldade na vida também foi porque acreditei na minha mente e nos seus pensamentos negativos. Portanto, se puder, quando sentir dor ou mágoa por conta de uma determinada situação, permita que esse sentimento doloroso seja um alerta lhe dizendo que, naquele instante, você está acreditando em pensamentos negativos que não são verdadeiros. Assim que parar de acreditar na sua mente, começará a notar que ela tende a se opor à maioria das coisas, mascarando a sua felicidade inata.

"O que há de errado com o agora se você não pensar sobre isso?"
Sailor Bob Adamson, em A Sprinkling of Jewels

"A paz que você busca já está presente. Essa paz está aparentemente obscurecida porque a nossa atenção está sendo desviada para o pensamento."
Kalyani Lawry

Com toda a tagarelice, o falatório, a natureza contraditória e o martírio ao qual a mente nos submete, é surpreendente como tantos de nós ainda acreditamos nela como *a* autoridade do mundo. Você não precisa parar, aquietar ou acalmar a mente; só precisa parar de acreditar nela! Quando fizer isso, ela automaticamente se acalma e a felicidade emerge em você como uma onda de êxtase.

Resistindo à Felicidade

Por mais incrível que possa parecer, muitos de nós resistimos à felicidade. Não percebemos que estamos fazendo isso porque a nossa resistência vem de uma crença suprimida. A crença talvez tenha sido colocada lá quando éramos crianças e nos disseram para refrear a nossa alegria e o nosso entusiasmo naturais e espontâneos. Você já ouviu coisas como "Comporte-se de acordo com a sua idade", "Cresça", "Pare de se exibir" ou "Acalme-se e fique quieto"? Se sim, talvez tenha a crença de que, para obter aprovação, é preciso ficar calmo e quieto, porque, quando você estava correndo de um lado para outro, alegre, se meteu em confusão por ser barulhento demais. Como consequência, aos poucos nos acostumamos a abafar e a reprimir a nossa alegria natural. Mas somente nos dando conta de que resistimos à felicidade é que conseguimos destruir essa crença e nos fortalecer a partir disso.

"Somos naturalmente felizes, então, se não estamos experimentando a felicidade, é porque estamos resistindo a ela."
Minha mestra

"Se você não estivesse tão empenhado em se sentir infeliz, estaria feliz."
Anthony de Mello, S.J., em Rediscovering Life

Não precisamos fazer nada para sermos felizes. Pelo contrário, precisamos parar de fazer o que nos torna infelizes!

"Ser feliz não é um desafio. Ser infeliz, sim. Quando você diz que ser feliz é um desafio, isso dá a entender que a felicidade envolve empenho, vigilância constante, esforço. Se acreditarmos que a felicidade requer empenho e esforço, ela apenas vai perpetuar sofrimento."
Francis Lucille, em The Perfume of Silence

"Está sentindo a felicidade ilimitada subjacente ao seu ser?"
Minha mestra

Se o nosso estado natural é a felicidade, imagine então a imensa quantidade de energia necessária para ser infeliz.

No mundo inteiro, a resistência é a única coisa que tem roubado a felicidade da maioria das pessoas. Em vez de permitirmos que as circunstâncias sejam como são, resistimos ao que está acontecendo ou ao que aconteceu, a partir de um único e incessante pensamento que é "Não quero…". Aqui você pode preencher a lacuna com a lista interminável de coisas que não quer.

"Nada externo pode nos perturbar. Sofremos apenas quando queremos que as coisas sejam diferentes."
Byron Katie, em Ame a realidade

"Felicidade é simplesmente permitir que tudo seja como é o tempo todo."
Rupert Spira

Se conseguir parar de resistir ao que está acontecendo na sua vida e no mundo, então a felicidade extasiante é sua. Iluminação é apenas outra palavra para felicidade extasiante. Você já é iluminado. Você já é felicidade extasiante. Essas não são experiências reservadas a um grupo seleto — elas *são você* e todas as outras pessoas!

Apego

"Se olhar com atenção, verá que há uma coisa, e apenas uma coisa, que causa infelicidade. O nome dela é apego."

Anthony de Mello, S.J., em The Way To Love

O apego vem quando nos agarramos a alguma coisa por medo de perdê--la, porque acreditamos que não podemos ser felizes sem ela. O apego costuma ser confundido com amor, mas não é. Não existe medo no amor. O amor permite que tudo seja livre para ir e vir. O apego se disfarça de amor, mas quer se agarrar a algo por medo de perdê-lo.

"O que é cego não é o amor, mas o apego. O apego é o estado de dependência que vem da falsa crença de que algo ou alguém é necessário para a sua felicidade."

Anthony de Mello, S.J., em The Way to Love

Imagine duas pessoas que trabalham na mesma empresa. Ambas dizem que amam o seu trabalho e ficam felizes em ir trabalhar todos os dias. Então, um dia, elas chegam no trabalho e ouvem que a equipe delas será cortada naquele dia. O corpo da pessoa A é imediatamente tomado pelo pavor quando recebe a notícia. "O que vou fazer se me demitirem? E se não conseguir outro emprego? Não vou ter como pagar as contas ou a hipoteca. Vou perder a minha casa." Todos esses pensamentos vêm do apego a esse emprego. É possível enxergar o medo neles.

Enquanto isso, a pessoa B tem um ponto de vista diferente. Ela sabe que estará feliz, não importa o que aconteça. Sabe que, na vida, as coisas estão sempre mudando, e tudo acontece para melhor, embora às vezes não pareça na hora. Sabe, por experiência própria, que, quando algo inesperado acontece, algo melhor está por vir. Se, por qualquer motivo, seu emprego for cortado, sabe que encontrará outro ainda melhor. Isso é desapego.

Quem você acha que é a pessoa mais feliz? Quem você acha que tem uma vida melhor?

"Na verdade, você não faz ideia do que é felicidade até abandonar o apego."
Anthony de Mello, S.J., em Rediscovering Life

"Minha vida é uma sucessão de acontecimentos, assim como a sua. Só que sou desapegado e vejo o espetáculo passageiro como um espetáculo passageiro, enquanto você se apega às coisas e segue com elas."
Nisargadatta Maharaj, de I Am That: Talks with Sri Nisargadatta Maharaj

No caso de apego a uma pessoa, o apego vem da crença na falta de amor. Você acredita que essa pessoa detém a chave do seu amor e da sua felicidade e que, sem ela, o seu amor e a sua felicidade vão desaparecer. A crença justifica o apego e o coloca em risco extremo, porque tudo está mudando o tempo todo, e nenhum "corpo" ficará aqui para sempre.

"As pessoas precisam umas das outras e acham que isso é amor. Quando amamos alguém não há espaço para controlar essa pessoa nem aprisioná-la."
Lester Levenson

O apego é algo bastante enraizado. Em geral, nossos apegos constituem a identidade da pessoa que acreditamos ser, e sentimos que, se os deixássemos de lado, perderíamos a nossa identidade. Então, nos agarramos aos nossos apegos, quando o tempo todo eles roubam a nossa felicidade e nos aprisionam no sofrimento.

Quando você acredita que existe uma quantidade limitada de algo, você se apega ao que tem. Podemos ter apego ao corpo, à mente, à imagem que temos de nós mesmos, ao nosso parceiro, aos filhos, aos pais, à família, aos amigos, aos animais de estimação, à carreira, às realizações pessoais, à fama, às habilidades, aos hobbies, à religião, ao sucesso, a coisas materiais — como um carro ou uma casa —, bem como às nossas opiniões, crenças e pontos de vista. Provavelmente você já viu pessoas defendendo com fervor as suas crenças políticas, religiosas e em uma série de outros assuntos em razão do profundo apego que têm às próprias opiniões.

"Estamos tão casados com os nossos pensamentos que nunca pensamos em nos divorciar deles. E, até que o façamos, vamos continuar assim, cegamente apegados aos corpos físicos e, em geral, vivendo de forma infeliz."

Lester Levenson, em Happiness Is Free, *volumes 1-5*

Com o passar dos anos, a mente pode se tornar profundamente apegada a uma miríade de ideias fixas. É curioso que essas ideias às quais nos apegamos na verdade nos levam a ser uma pessoa limitada, deixam a nossa vida mais pesada e sufocam a nossa felicidade natural.

A história nos mostra que as pessoas podem ser tão apegadas às suas crenças que preferem morrer a abrir mão delas. Para alguns, o apego às crenças é a única coisa que os mantém em movimento, apesar do sofrimento que vem com isso.

"As pessoas não querem ser felizes. Para serem felizes, precisam mudar as suas crenças e ideias, e estão apegadas demais a essas coisas. Elas dizem 'nem pensar'. Nós nos recusamos a sermos felizes a menos que os nossos desejos sejam satisfeitos."

Anthony de Mello, S.J.

Se você pudesse se esvaziar de todas as suas opiniões e ideias fixas, uma por uma, seria iluminado, porque, quando está livre de qualquer julgamento, permite que as coisas sejam exatamente como são. E então ficaria maravilhado com a alegria e a felicidade que inundariam o seu ser, sem mencionar como a sua vida se expandiria naturalmente em todas as direções.

Como escrevi na edição de décimo aniversário de *O Segredo*, quanto menos opiniões tiver, a menos conclusões chegará, quanto menos ideias fixas às quais se apegar, mais experimentará a felicidade e o êxtase.

O que está realmente apegado não é *você*, mas a sua mente! O apego é como um piquenique para a mente, porque a fortalece e nos mantém presos à crença de que somos uma pessoa isolada, limitada, em vez da ilimitada e feliz Consciência que somos de verdade. Como o apego vem da mente, você sentirá um medo concreto quando algo a que a mente está apegada estiver sob ameaça.

E o maior apego que a sua mente tem é a ideia que você é um ego e uma pessoa isolada. Apesar de a verdade — que somos a única Consciência — ser absolutamente maravilhosa, mesmo assim, a mente ainda se apega à ideia de que somos uma pessoa isolada.

Não existe outro fim para uma vida de apego que não seja mágoa e sofrimento, porque nada no mundo material é duradouro ou permanente, incluindo os nossos corpos. Sem que você perceba, a sua mente trocou a felicidade pelo apego.

Anthony de Mello resumiu o apego de uma maneira linda na sua interpretação das Quatro Nobres Verdades de Buda:

"O mundo está cheio de dor.

A raiz da dor é o desejo pelo apego.
A solução para uma vida sem dor é o
abandono do apego."
Anthony de Mello, S.J., em Rediscovering Life: Awaken to Reality

Você pode desejar e ter o que quiser; o problema só aparece quando se está apegado a essas coisas.

Consciência Versus Apego

Você não precisa sofrer para tentar dar fim aos seus apegos. Você não precisa fazer um esforço gigantesco para tentar mudar a maneira como se sente. O apego vem quando você se identifica com a mente, então, para se libertar dele, tudo que precisa fazer é permanecer em estado de Consciência cada vez mais, e todos os seus apegos desaparecerão um a um! Não sei como dizer o quão incrível a vida é quando você não é governado pelo apego. O amor que sente por tudo e por todos é bem mais profundo, e ao mesmo tempo você não sente uma tristeza insuportável quando algo muda ou acaba.

"Eis o meu segredo: eu não me importo com o que acontece."
J Krishnamurti, na segunda palestra Ojai, 1977

As palavras de Krishnamurti nos mostram como é não ser apegado a nada. Suas palavras são puro desapego. E mesmo sabendo que é difícil para você acreditar que nunca seria capaz de se sentir dessa maneira, é só a sua mente que está lhe dizendo isso. Lembre-se de que o desapego é a sua verdadeira natureza; o desapego *é você*, Consciência.

Há muitos anos, minha família e eu tínhamos uma bela casa no interior da Austrália. Meus dois filhos adoravam viver no campo e amavam aquela casa. Vivemos uma vida fantástica, mas, infelizmente, as taxas de juros chegaram a mais de dezoito por cento e, apesar de termos conseguido serviço extra e estarmos trabalhando mais horas por dia, no final, meu marido e eu não conseguimos pagar a hipoteca. Nós nos sacrificamos e sofremos enormemente por três anos tentando não perder aquela casa, e, ainda assim, aconteceu. No dia em que nos mudamos, pensei na dor pela qual havíamos passado e decidi que nunca mais me apegaria a outra casa. Quando sofremos o bastante, conseguiremos mudar.

Desde então, amei cada casa onde vivi — algumas amei e apreciei mais do que qualquer outra antes —, mas não me apeguei a nenhuma. Enquanto morava nelas, desfrutei delas plenamente, sem medo de perdê-las um dia. E quando chegou a hora de ir embora, fui capaz de fazê-lo tendo somente gratidão no coração, sem qualquer tristeza.

"A felicidade chega quando não estamos apegados a qualquer objeto, incluindo o nosso corpo, ou coisas materiais."
Francis Lucille

Nós estamos aqui, no mundo material, e todas as coisas materiais acabam. Se estamos apegados a algo, isso com certeza nos trará sofrimento quando a coisa se for. Porém, se você ama profundamente o que faz parte da sua vida aqui e agora — se é realmente grato pelo que está aqui neste instante, e se desfruta disso na sua totalidade —, você nunca vai sentir o mesmo nível de dor quando chegar ao fim.

Tive um relacionamento muito próximo com a minha mãe durante a infância e a vida adulta. Ela não era apenas a minha mãe, eu também a considerava a minha melhor amiga. Eu ficava apavorada com o pensamento de ela morrer, porque não conseguia imaginar viver sem ela e por achar que nada na vida valeria a pena se ela não estivesse mais presente. Depois que descobri O Segredo, fiquei absolutamente grata e passei a sentir muito apreço por tudo na vida, sobretudo pela minha família e pela minha mãe. Desfrutei cada momento ao lado dela. Eu lhe dizia constantemente todas as pequenas e grandes coisas que ela havia feito por mim ao longo da vida e que significavam muito para mim. Dizia a ela o quanto a amava. Então, quando a minha mãe morreu, não sofri tanto quanto teria sofrido um tempo antes. Em vez disso, senti o meu amor por ela se expandir e se tornar maior do que o universo. Até hoje, isso nunca mudou.

Você é amor, e o amor é o extremo oposto do apego, porque o amor concede a tudo a liberdade de ir e vir. Amor é aceitar e permitir, não importa o que aconteça.

"Amor é o que você já é. O amor não busca nada. Já é completo. Ele não deseja, não precisa, não tem nenhum dever."
Byron Katie, em I Need Your Love — Is that True?

Posso lhe garantir que se os seus apegos desaparecerem, a alegria e o amor que você vai sentir quando estiver livre deles serão tão plenos e imensos que vai achar que o universo não será capaz de contê-los. Todas as coisas às quais você estava apegado serão substituídas por este amor que é onipotente, onisciente e onipresente. Alguns chamam esse amor de "Deus".

Quando as pessoas estavam na presença de Jesus, do Buda, de Krishna ou de qualquer outro ser iluminado, qualquer negatividade dentro delas se dissolvia na mesma hora. Esse é o poder do amor puro e incondicional. Ele dissolverá toda a discórdia e a negatividade imediatamente. Dissolverá tudo e qualquer coisa que não seja amor. Este amor todo-poderoso é a sua verdadeira natureza. É você.

Comece Pela Felicidade

"Você não precisa de nada para ser feliz. Você precisa de algo para ficar triste."

Sri Poonja (Papaji)

"Quando entendemos que [a consciência está presente o tempo todo], ocorre uma transformação no corpo-mente. O corpo-mente é atingido por uma alegria sem motivo e é libertado da crença de que deve se esforçar com o intuito de conquistar a felicidade. A felicidade não é algo que pode ser alcançado por meio do esforço, do sofrimento. Como alguém pode alcançar a felicidade através do sofrimento? De que maneira mais sofrimento pode nos deixar mais felizes? Temos que começar pela felicidade. Muitas vezes aceitamos mais sofrimento para sermos felizes."

Francis Lucille, em The Perfume of Silence

Você pode ser feliz neste exato momento, não importa o que esteja acontecendo ao seu redor. A felicidade não é uma coisa pela qual você precisa procurar ou esperar, porque ela está com você agora.

"Podemos ser livres e felizes agora mesmo. Não temos que esperar que isso chegue em algum momento em um futuro distante, quando tivermos trabalhado o suficiente para merecê-lo ou quando, de alguma maneira, conseguimos estar prontos para recebê-lo. Temos motivos para sentir alegria e prazer agora."

Hale Dwoskin, em The Sedona Method

"Você é a alegria suprema. Buscar a alegria seria a mesma coisa que eu procurando por Lester. Eu sou Lester. Não tenho que ir lá fora e procurar por ele. Se sou alegria, não tenho que procurar por ela lá fora.

Não há necessidade alguma de sair por aí à procura de alegria quando ela está dentro de você."
Lester Levenson, em Happiness Is Free, *volumes 1-5*

"Quando você perceber que deseja amor, saiba que isso é como um lago em busca de água."
Hale Dwoskin

"A descoberta de que a paz, a felicidade e o amor estão sempre presentes no nosso próprio ser e absolutamente disponíveis a cada momento da experiência, sob qualquer condição, é a descoberta mais importante que qualquer pessoa pode fazer."
Rupert Spira, em The Art of Peace & Happiness

Como a felicidade é a sua verdadeira natureza, você não pode conquistá-la, você apenas pode *ser* felicidade. Se está feliz é porque está sendo o seu verdadeiro eu, a Consciência! Quando está sendo a Consciência que você é, está em harmonia com tudo na vida, e dizer que a sua vida se tornará fantástica é um grande eufemismo.

"O momento em que um ser humano se sente vivo não é na concepção, nem no nascimento, nem ao atingir a maturidade, nem em nenhum dos rituais que gostamos de citar, como batismos e casamentos, *bar mitzvahs* ou formaturas. Isso acontece quando o senso de identidade se desintegra, quando o vento se torna capaz de levar a coisa insubstancial em que acreditamos ser. É nesse instante que vivemos de verdade. Parece um pouco com a morte (a pessoa que você é há muito tempo, afinal, não existe mais), e ainda assim… ainda assim… você descobre, para a própria surpresa, que continuou, que a vida continua. Existe vida após a morte. Você está descobrindo o que significa paraíso na Terra."
Jan Frazier, em Opening the Door

Permita-se ser feliz. Permita-se SER a felicidade que você é. A felicidade está aqui nesse instante. O poder da Consciência é a resposta para qualquer coisa que ameace a sua felicidade. Se ampliar a sua atenção e descansar como a Consciência que você é, você será feliz!

Se não estiver se sentindo feliz, lembre-se de acolher qualquer sentimento que não for a felicidade, e deixe-o estar presente sem tentar mudá-lo ou se livrar dele. Ao acolher qualquer sentimento que estiver presente, você o sentirá se dissolver na felicidade que você é de verdade.

Cada vez que você abre os braços e dá as boas-vindas a um sentimento de tristeza, você se aproxima um pouco mais da felicidade duradoura e permanente, e ainda mais de uma vida incrível e harmoniosa. Quanto mais você acolhe sentimentos de tristeza, mais vai sentir a felicidade do seu verdadeiro eu aumentando. Eventualmente, você vai descobrir por si mesmo que sob cada sentimento infeliz está a felicidade e o amor infinitos da Consciência.

CAPÍTULO 10 *Resumo*

- *Você é felicidade. Essa é a sua verdadeira natureza! A felicidade — uma fonte infinita de felicidade — está aqui, nesse instante, dentro de você!*

- *Não há outra felicidade senão a felicidade do seu verdadeiro Eu, a Consciência. A felicidade que você sentiu ao longo de toda a sua vida é a felicidade da Consciência!*

- *Não existe nada melhor para as circunstâncias da sua vida do que se sentir feliz. Quanto mais feliz você estiver, menos esforço a sua vida exigirá.*

- *Quando buscamos a felicidade no mundo, nossa felicidade é passageira.*

- *Podemos desfrutar de todas as coisas maravilhosas que queremos ser, fazer ou ter no mundo, mas podemos desfrutar dessas coisas tendo o pleno conhecimento de que o único lugar onde é possível encontrar a felicidade real e permanente é dentro de nós.*

- *Seus pensamentos determinam como você se sente, então, se não está feliz, é porque está pensando a respeito de algo que não deseja para si.*

- *Há sempre um pensamento entre você e a felicidade permanente, quem você é de verdade: "Não quero isso."*

- *Quando sentir dor ou mágoa por conta de uma determinada situação, permita que esse sentimento doloroso sirva de alerta, dizendo-lhe que, naquele instante, você está acreditando em pensamentos negativos que não são verdadeiros.*

- *Muitas pessoas resistem intencionalmente à felicidade.*

- *Apenas nos dando conta de que temos resistido à felicidade é que conseguimos destruir essa crença e nos fortalecer a partir disso.*

- *Não precisamos fazer nada para sermos felizes. Pelo contrário, precisamos parar de fazer o que nos deixa infelizes.*

- *Há apenas uma coisa que causa infelicidade: apego.*

- *O apego vem quando nós nos agarramos a alguma coisa por medo de perdê-la, porque acreditamos que não podemos ser felizes sem ela.*

- *Em geral, nossos apegos constituem a identidade da pessoa que acreditamos ser, e sentimos que, se os deixássemos de lado, perderíamos a nossa identidade. Então, nos agarramos aos nossos apegos, quando o tempo todo eles roubam a nossa felicidade.*

- *O que está realmente apegado não é você, mas a sua mente. É a mente que tem apego. Quem você realmente é não é apegado a nada.*

- *Para se libertar do apego, tudo que você precisa fazer é permanecer em estado de Consciência cada vez mais, e todos os seus apegos desaparecerão um a um.*

- *Você pode ser feliz neste exato momento, não importa o que esteja acontecendo ao seu redor. A felicidade não é algo pelo que você precisa procurar ou esperar.*

- *Você não pode conquistar a felicidade, você apenas pode SER a felicidade. Se você é feliz, está sendo o seu verdadeiro Eu.*

- *Se não estiver se sentindo feliz, lembre-se de acolher qualquer sentimento que não for a felicidade, e deixe-o estar presente sem tentar mudá-lo ou se livrar dele.*

- *Quanto mais você acolhe sentimentos de tristeza, mais você vai sentir a felicidade do seu verdadeiro Eu aumentando a cada dia.*

O Mundo:
Tudo Está Bem

"Tudo vai ficar bem, tudo vai ficar bem, todo tipo de coisa vai ficar bem."
Juliana de Norwich

"Você sabe, todos os místicos — católicos, cristãos, não cristãos, não importa a teologia, não importa a religião — são unânimes ao dizer uma coisa: tudo está bem, tudo está bem. Embora tudo esteja uma bagunça, tudo também está bem. Um estranho paradoxo, sem dúvida. Porém, tragicamente, a maioria das pessoas nunca consegue ver que tudo está bem, porque estão todas dormindo. Elas estão tendo um pesadelo."
Anthony de Mello, S.J., em Awareness: Conversations With The Masters

Você deve estar pensando: como tudo pode estar bem quando olhamos para o mundo e vemos violência, guerras, pobreza e destruição? As pessoas estão lutando entre si, atacando umas às outras, discutindo umas com as outras, criticando umas às outras e ameaçando umas às outras, causando sofrimento em todo lugar do planeta.

Mas, apesar da nossa história tão turbulenta, quando alguém perguntava aos sábios como podia tudo estar bem, eles respondiam: "Porque o mundo é uma ilusão."

O que eles querem dizer com isso é que o mundo não é o que parece ser. O mundo como acreditamos — sólido e concreto, uma existência separada de nós, uma única realidade — é uma ilusão.

"Não há dúvida de que o universo é a maior de todas as ilusões."
Ramana Maharshi, em The Collected Works of Ramana Maharshi

Graças à ciência, sabemos que qualquer coisa física é essencialmente espaço; que as cores que vemos, na verdade, são a ausência dessas mesmas cores; e que os sons que ouvimos, na verdade, são uma vibração que o nosso cérebro transforma em sons por meio de impulsos nervosos. E sabemos que, de toda a massa do Universo, apenas 0,005% compõe o espectro eletromagnético, e, mais importante, que os seres humanos só conseguem perceber uma *fração* desse percentual. Então, será que o mundo é mesmo o que parece ser?

"Bem, eu olho para o Empire State, você olha para o Empire State, e ele provavelmente parece o mesmo para você e para mim, mas como parece para um inseto com cem olhos? Como parece para uma cobra que só é capaz de ver radiação infravermelha? Como parece para um morcego que só conhece os ecos do ultrassom? Assim, o Empire State — o vislumbre dele — é um olhar humano, não o de um crocodilo, e não se pode presumir que o aparato sensorial humano, que só consegue observar um espectro muito limitado, é a única realidade que existe. Além disso, não é possível explicar por que o Empire State tem a aparência que tem se o que chega aos seus olhos são apenas fótons."
Deepak Chopra™, M.D., no podcast mindbodygreen

Quando investigamos o que presumimos ser a realidade, descobrimos que as nossas suposições não são assim tão factuais quanto achávamos.

"A ciência parte do pressuposto de que o mundo físico é real e de que a matéria é real. O problema então é que, se você é um cientista, do que é feita a matéria? Eles dizem que, bem, ela é composta de moléculas. E de que são feitas as moléculas? De átomos. De que são feitos os átomos? De partículas. De que são feitas as partículas? Nesse momento, entramos em partículas ainda menores. E de que elas são feitas? Bem, se não estão sendo medidas enquanto partículas, elas são ondas de probabilidade no espaço matemático."

Deepak Chopra™, M.D., no podcast mindbodygreen

Essas ondas de probabilidade não são nem um pouco materiais. Elas são apenas vazio, e aparecem apenas como partículas quando são medidas e observadas pela mente!

"Quando você passa de um cômodo a outro — quando os seus sentidos animais não mais captam os sons do lava-louça, o tique-taque do relógio, o cheiro de um frango assando —, a cozinha e todas as suas partes aparentemente discretas se dissolvem no nada, ou em ondas de probabilidade."

Robert Lanza, M.D.

Com uma linhagem que remonta ao século XIV, a Ordem Rosacruz descreve o mundo material como nada além de "fantasmas mentais", e, com certeza, a física quântica confirma o que as antigas tradições sabiam ser verdade.

Quando me debrucei pela primeira vez sobre a física quântica anos atrás, a pesquisa que li dizia que o cômodo onde eu estava não existia quando eu saía dele, pois o cômodo e tudo nele é reduzido a uma onda de probabilidade quando não estão sendo observados. O cômodo só se transforma em partículas de algo sólido quando entro de volta e o observo. Eu costumava me divertir virando para sair da sala e girando a cabeça depressa, para tentar surpreender a sala voltando à forma. Nunca consegui!

"Para que a matéria possa surgir — como uma pedra, um floco de neve ou mesmo uma partícula subatômica —, precisa ser observada por uma criatura viva."
Robert Lanza, M.D., em Biocentrism: How Life and Consciousness are the Keys to Understanding the True Nature of the Universe

No nível mais profundo, toda a estrutura física do nosso mundo e tudo contido nele nada mais são do que espaço vazio. Então, como diz Chopra: "Será que o mundo é mesmo físico?"

Mas, se o mundo não for físico, é o quê?

Todas as manifestações físicas vêm da mente. Mas isso é bem mais profundo do que a ideia que a mente tem da matéria; matéria *é* mente. Tudo que parece sólido e material — todo o nosso mundo, nosso Universo físico — são, na verdade, imagens projetadas pela mente.

"Tudo é Mente; O Universo é mental. [...] Aquele que apreende a verdadeira Natureza Mental do Universo está bem avançado no Caminho da Sabedoria."
Em The Kybalion

"O mundo e o Universo são uma mistura mental."
Lester Levenson, em Happiness Is Free, *volumes 1-5*

"Até mesmo a estrutura do átomo foi encontrada pela mente."
Ramana Maharshi

"Toda manifestação é mente."
Francis Lucille

"O pensamento é a energia e a vibração primárias que emanaram de Deus, e, portanto, é ele o criador da vida, dos elétrons, dos átomos e de todas as formas de energia."

Paramahansa Yogananda, em God Talks with Arjuna: The Bhagavad Gita

Ao observar a vastidão do Universo à noite, o quão certo você se sente ao afirmar que ele está fora de você? Agora sabemos que qualquer imagem que vemos vem de fótons de luz que atingem as nossas retinas, que são depois traduzidos pelo cérebro em forma de imagem. O cérebro então vira essa imagem e a projeta dentro da nossa cabeça. Portanto, mesmo em um nível biológico, sabemos que o que estamos vendo está, na verdade, dentro de nós.

Quando olhamos para o mundo, não o vemos de fora, mas de dentro de nós. Os nossos sentidos que detectam o mundo exterior são todos experimentados *dentro* de nós. Quando você toca em alguma coisa, você a sente de dentro, não de fora. Veja por si mesmo. Quando alguém o abraça, você está vendo e experimentando essa sensação de dentro. Quando escuta um som, não o ouve de fora, mas de dentro. Quando move o seu corpo, você sente e experimenta cada sensação de movimento dentro de você. Nenhum dos nossos sentidos ou sensações são capazes de provar que existe um mundo lá fora, separado de nós.

"Nós inventamos este universo inteiro e nos esquecemos disso. Dizemos que ele é real e que está apartado de nós, mas ele é apenas uma imagem na nossa mente. O único lugar onde você é capaz de ver este mundo é a sua mente. Coloque a mente para dormir e o mundo não existe mais. Se não acordar, jamais haverá mundo de novo — mas você permanece."

Lester Levenson, na gravação Will Power

Tudo que você vê, de uma colher de chá ao sol, é uma projeção mental. Assim como um projetor de cinema, a mente projeta as imagens do nosso mundo. É como estar em uma sala de cinema de 360 graus com imagens em cima, embaixo e ao redor, além de um sistema de som completo. É uma experiência muito convincente.

"A existência do mundo enquanto realidade independente é uma ilusão."

Francis Lucille

O mundo como você vê — um mundo que parece existir fora dos nossos corpos e independentemente de nós — é uma ilusão criada pela mente. A aparência de que as coisas são sólidas é uma ilusão criada pela mente. A aparência de que as coisas são tridimensionais é uma ilusão criada pela mente.

As imagens do mundo e a forma como o experimentamos a partir dos nossos sentidos são como os sonhos quando você está dormindo. O conteúdo do seu sonho e a sua experiência nele são integralmente compostos pela mente, da mesma forma que a sua experiência do mundo quando você está acordado ocorre apenas na sua mente.

"Sabendo que a nossa mente possui este maravilhoso poder de criação e autoilusão, não é razoável suspeitar de que o corpo que consideramos ser o 'eu' e que o mundo que consideramos ser real no nosso estado de vigília possam ser nada além de mera imaginação ou projeção mental, assim como o corpo e o mundo que experimentamos nos sonhos? Que evidência temos de que o corpo e o mundo que experimentamos neste estado de vigília são outra coisa além de uma criação da nossa própria mente?"
Michael James, em Happiness and The Art of Being

"Na sua imaginação, você escreveu e projetou um filme com atores, atos e público em uma tela de cinema, e perdeu de vista o fato de que tudo isso está na sua mente."
Lester Levenson, em Happiness Is Free*, volumes 1-5*

"O mundo é feito de pensamentos e ideias."
Minha mestra

"O que vemos do lado de fora é a nossa própria mente."
Lester Levenson, em Happiness Is Free*, volumes 1-5*

"Todas as coisas às quais demos um nome — latitude, longitude, meridiano de Greenwich, nações, estados, estrelas, galáxias, tudo aquilo que você chama por um nome — são construções humanas. Portanto, nós criamos o mundo [...] ao longo de milhares de anos. Somos contadores de histórias."
Deepak Chopra™, M.D., em palestra na conferência SAND18

Nós não apenas criamos este mundo através dos nossos pensamentos individuais e coletivos, como estamos criando tudo que vivenciamos a cada momento.

"Essa coisa chamada mundo? É apenas uma ilusão que criamos. Um dia você vai descobrir que foi você que criou todo o Universo [...], que nada mais é do que uma união de todos os nossos pensamentos."
Lester Levenson, na gravação Will Power

E qual é o poder que pode transformar pensamentos em um mundo e Universo aparentes? É a Consciência Infinita, o único poder que há. A Consciência Infinita é o único poder que existe; não tem competição. E você é ela.

Tudo é Percepção-Consciência

"O mundo não é, de modo geral, da forma descrita nos nossos livros escolares. Por vários séculos, começando aproximadamente no Renascimento, o pensamento científico foi dominado por uma única mentalidade em relação à formação do cosmos. Este modelo nos trouxe *insights* inestimáveis sobre a natureza do Universo — e inúmeras aplicações práticas que transformaram todos os aspectos das nossas vidas. No entanto, esse modelo está chegando ao fim da sua vida útil, e precisa ser substituído por um paradigma muito diferente, que reflita uma realidade mais profunda, totalmente ignorada até então."
Robert Lanza, M.D., em Biocentrism: How Life and Consciousness are the Keys to Understanding the True Nature of the Universe

"Por alguma razão inexplicável, o elemento mais comum em todas as experiências possíveis — a consciência — manteve-se em segredo."
Deepak Chopra™, M.D.

Nas suas palestras, Deepak Chopra apresenta os dois maiores problemas científicos, que até hoje permanecem sem resposta:

1. Qual a substância do Universo?

2. De onde vem a consciência?

"A ciência não pode resolver o mistério final da natureza, porque, em última instância, nós mesmos somos parte da natureza e, portanto, parte do mistério que estamos tentando solucionar."
Max Planck, físico quântico, em Where Is Science Going?

Enquanto a ciência continuar a acreditar em um modelo de mundo objetivo, material, sólido e que existe separado de nós, jamais encontrará a verdade em relação à substância subjacente do Universo. Porém, por centenas de anos, os sábios souberam a resposta para as maiores questões que a ciência não conseguiu solucionar.

Qual a substância do Universo?
A Consciência é a substância do Universo.

De onde vem a consciência?
A Consciência não vem de lugar algum — na verdade, tudo vem da Consciência.

A Consciência, ou Percepção, é infinita — ela está em todos os lugares ao mesmo tempo —, então como poderia vir de algum lugar?

Graças à ciência, sabemos que o nosso Universo material teve início com o Big Bang, o que significa que deve ter um fim, algo que a ciência prevê. Com um começo e um fim, isso torna o Universo finito e, portanto, se é finito, deve vir de algo *infinito*! O Universo surgiu da Consciência, e a

Consciência, que é infinita, é o próprio fundamento e a substância subjacente do nosso Universo e de tudo que há nele.

Você é Consciência Infinita, Percepção Infinita, o que significa que, em última análise, o Universo é você, *em você*.

"Todo o Universo está contido em um único ser humano — você."
Rumi

O mundo, o Universo e tudo que há nele, incluindo o seu corpo, estão *na* Consciência. Tudo está na Consciência. A Consciência é onipresente; está em toda parte, e tudo está nela e surge dela. A Consciência é onisciente; ela sabe tudo, porque tudo contém. A Consciência é onipotente; ela é todo poder, porque não há outro poder senão ela.

"Você, você mesmo, é a energia eterna, que se manifesta como este Universo."
Alan Watts, em Nature of Consciousness

O Filme-Mundo

Quando vamos assistir a um filme ou à televisão, não seríamos capazes de enxergar as imagens se não existisse uma tela. A mente também precisa de uma tela para ser capaz de ver as imagens do filme-mundo que projeta. Essa tela é a Consciência.

O filme-mundo que a mente projeta está dentro e sobre a tela da Consciência, o que significa que o que chamamos de mundo é, em última análise, feito de Consciência — a mesma e única Consciência Infinita que somos. Quando os sábios dizem "Nós somos um" e "Nós somos tudo" é a isso que estão se referindo. Somos absolutamente tudo, porque somos a única Consciência na qual e sobre a qual tudo existe!

"Então, toda essa manifestação, na verdade, não é nada. É apenas espaço-como-consciência vibrando, se transformando em padrões e formas."
Sailor Bob Adamson, de What's Wrong with Right Now?

"O estado subjacente de consciência é como a atmosfera onde todas as outras coisas acontecem, a tela de cinema na qual são exibidas. Nada o afeta. Nada o toca."
Jan Frazier, em When Fear Falls Away

"Nada é o que parece ser. Você não é o que parece ser. Você só precisa olhar um pouco mais fundo, e sentir um pouco mais fundo."
Pamela Wilson

Você Quer Mudar o Mundo?

"A mudança na sociedade é de importância secundária; ela acontecerá de forma natural, inevitável, quando você, enquanto ser humano, realizar a mudança em si mesmo."
J. Krishnamurti, na terceira palestra pública em Santa Monica, 1970

"Consciência é o que somos. Você não veio para cá para salvar o mundo — veio para amar o mundo."
Anthony de Mello, S.J.

"Você quer que o mundo seja diferente. Vamos supor que tenha recebido o poder de apagar o mundo como é e reconstruí-lo como gostaria que fosse: sem guerras, sem tiranos, sem mosquitos, sem câncer, sem dor, com todos sorrindo. O resultado seria algo muito chato, sem sabor. Aí você iria acrescentar um pouco de sal e pimenta e, no fim das contas, estaria de volta ao ponto inicial, e perceberia que já era perfeito como estava!"

Francis Lucille, em The Perfume of Silence

Enquanto nos mantivermos apegados às nossas próprias crenças e à crença de que somos indivíduos isolados, o mundo nunca estará em paz. Bilhões de egos vão sempre criar conflito, porque egos são instáveis — eles nunca vão entrar em consenso. No entanto, a Consciência permite tudo isso. A Consciência permite a ilusão, as crenças falsas, a falta de paz, as desavenças, o sofrimento e as guerras, porque só o amor permite que tudo exista. Para se libertar de todo o sofrimento não é necessário que o mundo esteja em paz, mas depende da sua percepção de se ver equivocadamente como apenas uma pessoa e da sua experiência como o Ser Infinito único.

"O Ser Infinito não está preocupado com a calamidade no mundo, porque ele nunca é afetado por qualquer uma dessas coisas."
David Bingham

"Quando você enxergar o mundo como parte de você, ele parecerá bem diferente do que quando parecia algo isolado. Você vai amá-lo e se identificar com ele, e com todos que estão nele."
Lester Levenson, em Happiness Is Free, *volumes 1-5*

"À medida que nos tornamos mais conscientes, mais amor surge. Com a autopercepção vem a percepção de que tudo é você, por isso é impossível ferir qualquer coisa que seja."
David Bingham

A Consciência diz "sim "para absolutamente tudo. A Consciência oferece a liberdade de tudo ser do jeito que é, porque o mundo e tudo nele é Consciência — o seu próprio Eu, o nosso próprio Eu. Isso significa que nada pode ser opor a nós. Nenhuma calamidade pode nos atingir. Nenhuma bomba atômica e nenhum meteoro podem nos destruir. Nenhuma carência ou limitação pode nos afetar. Porque, quando você observa a essência, tudo isso *somos* nós. E, assim que tiver percebido o seu verdadeiro eu, e estiver descansando enquanto Consciência, você saberá:

Não importa a aparência que as coisas têm no mundo, tudo está sempre, sempre bem.

CAPÍTULO 11 *Resumo*

- O mundo como acreditamos nele — sólido e concreto, uma existência separada de nós, uma única realidade — é uma ilusão.

- No nível mais profundo, toda a estrutura física do mundo e de tudo contido nele nada mais é do que espaço vazio.

- Matéria é mente. Tudo que parece sólido e material — todo o mundo e o nosso Universo físicos — são, na verdade, imagens projetadas pela mente.

- O conteúdo do seu sonho e as suas experiências nos sonhos são integralmente feitos pela mente, da mesma forma que a sua experiência do mundo quando você está acordado ocorre apenas na sua mente.

- O poder que pode transformar pensamentos em um Universo com uma aparência é a Consciência Infinita, o único poder que existe.

- O universo surgiu da Consciência, e a Consciência, que é infinita, é o próprio fundamento e a substância subjacente do nosso Universo e de tudo que há nele.

- O mundo, o Universo e tudo que há nele, incluindo o seu corpo, estão na Consciência. Tudo está na Consciência.

- Enquanto ficarmos apegados às nossas próprias crenças e à crença de que somos indivíduos isolados, o mundo nunca estará em paz. Bilhões de egos sempre criarão conflito.

- *Para que você se livre de todo o sofrimento não é preciso que o mundo esteja em paz, mas que você perceba que se vê equivocadamente como uma simples pessoa e na sua percepção de si mesmo como o Ser Infinito único.*

- *A Consciência diz "sim" para absolutamente tudo. A Consciência oferece a liberdade de tudo ser do jeito que é, porque o mundo e tudo nele é Consciência — o seu próprio Eu.*

- *Não importa a aparência que as coisas tenham no mundo, tudo está sempre, sempre bem.*

FIM —
NÃO HÁ FIM

E se justamente a coisa da qual todos temos tanto medo não for verdade? E se não existir morte da maneira como pensamos que ela é? E se morrer for como acordar?

"De onde vim, para onde vou? Essa é a grande questão insondável, a mesma para cada um de nós. A ciência não tem uma resposta para ela."
Max Planck, físico quântico

"O corpo morre, mas o espírito que o transcende não pode ser tocado pela morte."
Ramana Maharshi, em The Collected Works of Ramana Maharshi

"Se você se considera como apenas corpo e mente, esse 'você' sem dúvida morrerá! Quando se descobrir como consciência não nascida e imperecível, o medo da morte não mais o atormentará. De fato, será a morte da morte."
Mooji

"Quando você acorda, todo o medo, incluindo o medo da morte física, vai embora. Isso acontece porque aquilo que 'você' acabou de se tornar não está sujeito a nenhum mal."
Jan Frazier, em The Freedom of Being

"A morte é o despojamento de tudo que não é você. O segredo da vida é 'morrer antes de morrer' — e descobrir que a morte não existe."
Eckhart Tolle, em O poder do agora

Morrer antes de morrer significa acabar com a ilusão da mente de que você é apenas uma pessoa. Significa morrer para a *ideia* de ser uma pessoa, e perceber a Consciência Infinita que você é. Só então você vai "morrer antes de morrer" e descobrir a verdade — que a morte não existe.

"De todas as coisas que os seres humanos podem aprender nesta vida, tenho a maior notícia para dar, a mais bela coisa para compartilhar: você é aquilo que não tem forma, que é imutável e que não morre nunca."
Mooji, na segunda edição de White Fire

"Você, seu corpo-mente e o mundo que vê são todos parte da mesma realidade virtual. [...] Você — o você de verdade — é a consciência sem forma, e, uma vez que se identifica com isso, vê que todas as outras identidades que tinha eram provisórias. Seja marido, pai, filho, esposa [...] todas essas identidades provisórias com um nascimento e uma morte, que continuam se transformando, não são reais. [...] A única identidade absoluta que você tem é um ser infinito, sem forma, inconcebível, eterno e atemporal, que se transforma em todo tipo de realidade com base nas suas concepções."
Deepak Chopra™, M.D., no podcast mindbodygreen

"Esquecemos que somos essa consciência e nos identificamos com objetos. Pensamos: 'Sou o corpo, portanto, vou morrer.' No entanto, a consciência não se encontra em um corpo. O corpo aparece na consciência, a mente aparece na consciência, o mundo aparece na consciência. Essa é a nossa experiência. Apesar disso, nós a sobrepomos com o oposto disso, com a ideia de que a consciência está na mente, que

a mente está no corpo, e que o corpo está no mundo."
Francis Lucille, em The Perfume of Silence

"Você pensa que é o corpo, e, assim, se confunde com o nascimento e com a morte dele. Mas você não é o corpo e não tem nascimento ou morte."
Ramana Maharshi, em Be As You Are

"Então, a verdadeira resposta é que a morte é outra construção humana. Se você acredita no mundo físico, tem que acreditar na morte e tem que acreditar no nascimento, mas entenda que você é um ser sem forma — *sem forma* — que experimenta a si mesmo como forma. Neste instante, esse ser sem forma está experimentando a si mesmo como corpo-mente."
Deepak Chopra^{TM}, M.D., no podcast mindbodygreen

"Você concordou em morrer apenas porque aceitou de alguém a ideia de que nasceu."
Sri Poonja (Papaji), em The Truth Is

"Nunca houve um tempo em que nem eu nem você não existíssemos […] tampouco há um futuro em que deixaremos de existir."
Krishna

É impossível imaginar não ser, porque você não tem como *não* ser. Se você imagina não ser, existe a Consciência de que está imaginando não ser, e eis você aí — Consciência!

"Quando você é um bebê, não sabe que isto é uma mesa, ou que isto é uma mão, ou que você tem um corpo. Toda a sua experiência é […] um universo gosmento repleto de cores, sensações, imagens, nenhum pensamento ainda, apenas uma sensação de perplexidade e confusão. Em seguida, introduzimos conceitos: você é homem, é americano, é

humano, aquilo é uma estrela, aquilo é uma galáxia, este é o planeta Terra. É assim que funciona a visão de mundo a partir da ciência. Então, de repente, você passa a observar o mundo através de um filtro. A Consciência se transforma em uma mente condicionada que lhe proporciona a experiência de um mundo físico e de um corpo físico, e agora, como construiu toda esta coisa na sua consciência, passa a se preocupar com o nascimento, com a morte. Esses são conceitos humanos. Não há nascimento, não há morte, não há corpo físico, não há Universo. Há apenas a consciência, que é infinita, e você é ELA."
Deepak Chopra™, M.D., no podcast mindbodygreen

"A imortalidade é alcançada na medida em que superamos a ideia de pessoa [...] Conforme deixamos o ego de lado e alcançamos a consciência do nosso Eu real [...] alcançamos a imortalidade. E isso pode ser feito aqui e agora."
Joel S. Goldsmith, em The Infinite Way

"A morte não é a extinção da luz; é apenas o apagar da lamparina, porque acabou de amanhecer."
Rabindranath Tagore

Como é para alguém que morre?

"É o mesmo que acordar depois de um sonho. Exatamente a mesma coisa."
Minha mestra

Os mestres nos dizem enfaticamente que a Consciência ou Percepção nunca nasceu e nunca vai morrer. Isso significa que, quando o corpo termina, a Consciência ou a Percepção permanece como sempre — completamente atenta e viva. Só então você pode perceber que nunca foi o corpo, porque vê a si mesmo plenamente consciente e existindo como antes, só que sem corpo. A Consciência não precisa de um corpo para estar consciente. Quando o corpo acaba, não há um único segundo no qual você não esteja consciente — nem mesmo um trilionésimo de segundo no qual não esteja consciente. Você está eterna e infinitamente consciente, plena e completamente vivo, com ou sem corpo.

"A consciência e a percepção nunca começaram e nunca vão acabar."
Robert Lanza, M.D., em Beyond Biocentrism: Rethinking Time, Space, Consciousness, and the Illusion of Death

"A vida não tem oposto. O oposto da morte é o nascimento. A vida é eterna."
Eckhart Tolle, em O poder do silêncio

O que mudaria na sua vida se você realmente soubesse que ninguém morre? E se soubesse, sem sombra de dúvida, que você e todos os outros são o único Ser Infinito eterno? Como seria a sua vida se vivesse com esse conhecimento, sabendo que é essa a verdade?

Os sábios nos dizem que, quando conhecemos a verdade, a vida se torna leve e fácil. Há muitas gargalhadas, amor desenfreado e gozo total diante de tudo que acontece. Cada momento é saboreado, e há um enorme apetite pela maravilha e pelo esplendor da manifestação do mundo. Surge um amor e uma compaixão profundos pela humanidade e por todas as coisas vivas.

Os sábios nos dizem que não seremos mais perturbados por pessoas ou coisas que costumavam nos incomodar. Paramos de ver problemas e de levar as coisas a sério da forma que fazíamos antes. Passamos a olhar com leveza para todos os altos e baixos do mundo, como se estivéssemos assistindo a um filme. E seremos preenchidos com uma paz indescritível, cientes de que, apesar de tudo que está acontecendo, não existe fim nem para nós, nem para quem quer que seja.

A partir do momento que descobri O Segredo, entendi que não morremos. Uma vez que entendi que existem leis que regem o nosso pensamento e a nossa vida física, como causa e efeito, atração e carma, soube que tínhamos que viver além desta vida; caso contrário, que sentido faria? Como alguém poderia aprender essas leis em uma única vida? Até mesmo o Buda disse ter vivido quinhentas vidas antes de perceber quem era realmente, e ele era o Buda!

"O sentimento do 'eu' que você usa para se referir à sua individualidade nunca, jamais o abandonará. Ele se expande. Quando você descobre o que é, começa a ver que os outros são você, que você sou eu, que só existe Um, que você é agora e sempre foi aquele único e glorioso Ser Infinito."

Lester Levenson, em Happiness Is Free, *volumes 1-5*

Avatar

"Tudo isso é uma jogo da consciência: o jogo de se disfarçar, de fingir que é mesmo uma pessoa."

David Bingham

"Nossa natureza essencial de pura Consciência não ganha nem perde nada em toda a aventura humana."

Rupert Spira, em The Ashes of Love

Ter uma vida na Terra é como ter um avatar em um jogo de computador. Quando o seu corpo morre em um jogo de computador, você ganha um corpo novo e volta, com um avatar após o outro, até zerar o jogo. Algumas tradições dizem que, na nossa vida humana, também ganhamos um novo corpo a cada vez que morremos, até "zerarmos o jogo", ou seja, ao acordarmos e percebermos quem somos — Consciência.

É provável que todos nós já tenhamos vivido muitas vidas, centenas. Mas é ao acordar para a verdade que a Consciência e o Universo se deleitam; e é isso que torna *esta* vida a mais importante de todas!

"Você está aqui para possibilitar o desenvolvimento do propósito divino do Universo. Veja como você é importante!"
Eckhart Tolle, em O poder do agora

É necessário que você perceba a verdade por si mesmo, porque ninguém pode lhe dar isso. Como alguém poderia dar você para você? Você já é Você! Outra pessoa pode apenas lhe ensinar a olhar na direção certa. Você precisa perceber isso a partir da própria *experiência*, não das palavras de outro indivíduo.

"Você, o mundo e o Universo inteiro são modificações da consciência. Você e o Universo são a consciência em movimento."
Deepak Chopra™, M.D., no podcast mindbodygreen

"Basicamente, o que você é no fundo, lá no fundo, bem no fundo mesmo, é simplesmente o tecido e a estrutura da própria existência."
Alan Watts, em Out of Your Mind

"Quando sentimos de verdade que o universo está em nós, que o universo somos nós, que não há separação, que existe essa totalidade, então o universo e os acontecimentos no mundo se desdobram de acordo com essa perspectiva, que é a verdadeira perspectiva. Eles revelam a santidade, o sagrado do mundo. Revelam o milagre permanente. Em um primeiro momento isso é vivenciado como um sentimento e, depois, é atestado pela nossa experiência do mundo."
Francis Lucille, em The Perfume of Silence

Do Ser Humano Para o Ser Infinito

Minha mestra diz que perceber o Ser Infinito que somos é uma questão de decisão. Só existe uma pessoa capaz de tomar essa decisão, e ela é você, o Ser Infinito — portanto, a decisão de perceber plenamente quem você é não difere em nada da decisão de beber um copo d'água. Você pode tomar a decisão: "Quero estar totalmente consciente da minha verdadeira natureza, a Consciência. Quero cumprir o meu propósito e viver a minha vida na alegria da Consciência Infinita que sou. Tomei a decisão de compreender plenamente a pura e eterna Consciência indestrutível que sou."

"Pegue todo o seu desejo, toda a sua inquietude, todo o peso e barulho terrível disso. Coloque isso em uma caixa e feche com fita adesiva. Coloque a caixa em um caminhão que está indo para um lugar bem longe e que não vai voltar nunca mais. Sobrou alguma coisa, não sobrou? Você ainda está aqui. Pode se perceber enquanto ser. Bem-vindo à sua própria casa."

Jan Frazier, em The Freedom of Being

Nossa incrível jornada ao longo deste livro teve como objetivo guiá-lo pelo caminho que o levará da crença de que você é apenas um ser humano para a compreensão do Ser Infinito que é de verdade; mostrar a você como deixar para trás o sofrimento rumo a uma vida de felicidade e paz extasiantes; e libertá-lo de mágoas, aborrecimentos, ansiedade, preocupação e problemas, para que, em vez disso, você exista na felicidade contínua da Consciência. Seu verdadeiro eu, Consciência, é a *única* permanência na existência. Tudo o mais vem e vai, aparece e desaparece, mas você é aquilo que nunca veio e nunca vai. A Consciência é a única coisa que está consciente de cada segundo da sua experiência de vida, e que, no entanto, não é afetada ou prejudicada por ela, e acolhe tudo em si.

"Estamos vivendo o momento mais emocionante, desafiador e crítico da história da humanidade. Nunca antes tanta coisa foi possível e nunca antes tanta coisa esteve em jogo."
Peter Russell, autor e físico aposentado

Por meio das palavras dos seres conscientes compartilhadas neste livro, você começou a despertar, e, não importa onde vá a partir daqui, isso jamais vai se perder. Se antes a elaborada ilusão da mente parecia ser perfeita, há agora um rasgo no seu tecido. Esse rasgo jamais poderá ser fechado completamente, e a sua mente nunca será deixada na escuridão da ignorância de novo. A Consciência, o Ser Infinito que você é, vai assegurar que o tecido da ilusão continue a se rasgar até que a verdade seja revelada e percebida por completo, e que você esteja enfim reunido como o seu verdadeiro Eu.

"Quando damos um passo em direção ao Eu, Ele dá nove passos na nossa direção."
Lester Levenson

Algumas pessoas podem despertar de imediato ao ler este livro, mas, para a maioria de nós, o despertar parece ser uma jornada. Conforme você abandona os sentimentos e as crenças ruins e pratica sem parar como continuar a ser Consciência da melhor forma que puder, a Consciência continuará a se expandir dentro de você. Por fim, ela vai se expandir tanto que você perceberá que todo o Universo e tudo nele estão contidos em você.

É uma jornada rumo a lugar nenhum, porque não há lugar para ir; você já é tudo que está buscando, bem aqui, neste instante. Como Rupert Spira diz: "Não existe lugar para onde ir. Tente apenas dar um passo na sua própria direção. Você consegue."

O Ser Infinito que você é está presente agora. Se ainda não se deu total conta disso, é apenas porque a sua mente o convenceu de que você é uma pessoa. Mas isso está mudando agora.

"Quando o Ser é percebido, é impossível voltar ao ponto em que não sabíamos o que ele era. É possível, no entanto, escolher voltar a ser absorvido pela individualidade."
David Bingham

Observe a mente, porque ela vai tentar dizer a você todo tipo de coisa como: "Você não quer isso — seria muito chato ser Consciência o tempo todo! Vamos sair e encontrar o Tom para a gente se divertir um pouco!" Claro, divertir-se é bom, e quem você é de verdade adora se divertir. Quando está vivendo como o seu verdadeiro eu, a Consciência, você se diverte e se encontra com o Tom. Na verdade, enquanto Consciência, você vai se divertir mais do que nunca. Vai rir muito. Vai fazer todas as coisas que fazia antes. A única diferença é que vai fazer tudo em um estado contínuo de felicidade e paz, sem medo ou preocupação, estresse ou tristeza.

"Mesmo que você se torne um astronauta e descubra galáxias desconhecidas, isso não seria tão maravilhoso quanto descobrir o seu próprio Eu aqui mesmo, na Terra."
Mooji, na segunda edição de White Fire

Quero que entenda que o Ser Infinito que você é de verdade é o "você" que você experimenta ser *agora mesmo*. Não existe outra versão de você que precise ser alcançada antes disso para então você se tornar o Ser Infinito. Quando fiz esta descoberta, estava há muito tempo em busca de outra versão de mim mesma, até perceber que o Ser Infinito é a única coisa que está consciente através do meu corpo neste exato instante.

"Você é Divino. Chegou a hora de começar a agir de acordo, então pare de fingir que não é."

Pamela Wilson

Quem é Você?

"Somos todos deuses, agindo como idiotas."

Lester Levenson

"O único propósito da vida — o único — é ser a totalidade de quem somos. É o nosso desejo secreto, e vamos nos desfazer de tudo que é supérfluo até atingir esse propósito — casamentos, casas, entes queridos, até mesmo o próprio corpo, se ele for supérfluo."

Minha mestra

Quando casamentos acabam, ou quando perdemos entes queridos, ou quando as coisas parecem desmoronar ao nosso redor, podemos sofrer bastante, mas muitas vezes é através do nosso sofrimento que começamos a nos questionar sobre o sentido da vida. Muitos dos sábios iluminados passaram por um sofrimento imenso, e foi esse sofrimento que os levou a questionar a vida de maneira profunda e, por fim, que os conduziu à verdade sobre quem eram.

Pode ser difícil, em meio ao sofrimento, cogitar que ele o esteja conduzindo a algo maravilhoso, mas, na verdade, para muitos, foi o que levou diretamente ao paraíso do Eu.

"O sofrimento se torna uma porta para a paz. A dor é um alçapão que cede por completo sob o peso terrível da aceitação total [...] As próprias coisas que pensamos serem obstáculos para a paz são janelas, e, do

outro lado delas, estão os nossos pacíficos eus. Se formos incapazes de compreender isso, os obstáculos nunca vão deixar de vir. Nós os trazemos para nós mesmos, da mesma forma que um ímã atrai limalhas de ferro. O ser humano é poderoso. Não sabemos quase nada a respeito disso. Esse não saber é o maior obstáculo de todos."
Jan Frazier, em When Fear Falls Away

Mas agora você sabe.

"Você é eternamente você mesmo. O resto é só um sonho. É por isso que a verdadeira autodescoberta é chamada de despertar."
Mooji

"É só um sonho" é a verdade por trás de tudo que você vê e experimenta. Essa descoberta não significa que, quando uma pessoa está passando por circunstâncias difíceis, você não terá compaixão por ela. No entanto, quando conhece a verdade, a serenidade e a paz que emanam de você vão envolver, confortar e preencher o outro sem que palavras sejam necessárias. Quando sabe que tudo está bem, não importa o que aconteça, você enfim é livre de qualquer noção de negatividade, e a sua presença terá um enorme poder de acalmar quem estiver em sofrimento. Diz-se que um único indivíduo que viva plenamente como Consciência Infinita neutraliza a negatividade de milhões de pessoas. Esse é o poder do puro amor da Consciência.

"Você é Deus em um corpo físico. Você é o Espírito encarnado. É a Vida Eterna se expressando como Você. Você é um ser cósmico. Você é a energia plena. Você é a sabedoria plena. Você é a inteligência plena. Você é a perfeição. Você é a glória."
De O Segredo

Você é a Consciência em forma de espaço que mantém o planeta Terra, o sol, as estrelas, as galáxias e o Universo nos eixos. Você é o substrato da existência.

"Você não para de tentar ir para a esquerda, para a direita ou para fora, mas a resposta para tudo é quem você realmente é. E tudo no mundo está guiando você de volta para si mesmo."
Minha mestra

"Nada nem ninguém é capaz de completar você. Você já é inteiro e completo como está, aqui e agora."
Hale Dwoskin

"Por Deus, quando vir a sua própria beleza, você idolatrará a si mesmo."
Rumi

"Tudo o que você precisa fazer é descobrir o que já é. É por isso que se chama 'percepção': você percebe o que já estava lá, o que estava lá desde o início."
Jan Frazier, em When Fear Falls Away

Desde que os seres humanos habitam o planeta Terra, eles têm se perguntando três coisas: "Quem sou eu? De onde vim? Para onde vou?" A resposta para todas as três é: Consciência, Consciência, Consciência.

"Do êxtase, todos os seres nascem, no êxtase vivem e para o êxtase retornam."
Upanixade Taittiriya

Bem-vindo ao seu lar, ao lugar do qual você nunca saiu.

"Não se preocupe com nada. Você não está aqui por acaso. Esta forma é só uma fantasia temporária. Mas aquele que está por trás da fantasia, este sim é eterno. Você precisa saber disso. Se estiver ciente desse fato e confiar nele, não tem com o que se preocupar."

Mooji, na segunda edição de White Fire

"O que aconteceu comigo pode acontecer com você. Você pode não acreditar que é possível se tornar livre, parar de sofrer, ter a alegria correndo como um rio por todos os dias da vida, não importa o que aconteça. Mas estou aqui para lhe dizer que é, sim, possível."

Jan Frazier, em When Fear Falls Away

Quando a sua mente se acalma, o Ser Infinito que você é, que tudo sabe, assume o comando.

"Quando estiver sendo quem você é — percepção-consciência —, terá a resposta para cada uma das suas perguntas. Todo desejo que tiver será concretizado."

Minha mestra

Você terá clareza total. Nunca mais sofrerá devido à confusão ou à incerteza.

"Devemos nos guiar completamente pela intuição. No momento em que começar a agir com base na intuição que você é, sua vida será maravilhosa."

Minha mestra

Todo o seu sofrimento pode acabar aqui, neste instante. A Consciência é o caminho para abrir mão de todo sofrimento; é a chave para a imortalidade e para uma vida de gargalhadas, alegria, abundância, beleza e êxtase.

"A luz de um único ser humano que descobre a verdade ilumina a existência humana há milhares de anos. Esse é o poder de um ser humano que percebe a verdade em relação a quem ele é."
Mooji

"Houve pessoas que não foram vastamente conhecidas em vida, mas que, mesmo assim, exerceram uma enorme influência para o bem. Houve muitas outras cujos nomes não são encontrados nos registros históricos. Embora tenham sido esquecidas, a inteligência e o amor que elas liberaram no mundo não param de chegar até nós. Nosso verdadeiro presente para o mundo é ser uma fonte de amor e clareza, e perceber que, para ser essa fonte, é preciso conhecer a si mesmo intimamente."
Francis Lucille, em Truth Love Beauty

"Uma pessoa com nada além de amor pode se levantar contra o mundo inteiro, porque esse amor é poderoso demais. Este amor nada mais é do que o Eu. Este amor é Deus."
Lester Levenson, em Happiness Is Free, *volumes 1-5*

Existe apenas uma fonte de perfeição, e essa fonte é Você! Quando você vir o amor em todo canto do mundo, perceba que é *você*. Quando contemplar um belo pôr do sol, saiba que a beleza que você contempla é você. Quando observar felicidade em qualquer lugar, compreenda que é você. Onde há riso, saiba que o que está brilhando é a alegria infinita que emana de você. Quando olhar para a espetacular miríade de formas de vida no mundo, saiba que o sopro de vida que elas contêm é o Ser Infinito e que também é você. Não há nada mais na existência além da glória do primeiro e único Ser Infinito, o verdadeiro Eu, a pura Percepção-Consciência. E tudo isso é você.

Em última instância, cada momento e cada circunstância da sua vida está lhe mostrando a direção do seu próprio lar — a Consciência. Quando algo na vida faz você sofrer, sem dúvida é um chamado ao despertar, que está lhe dizendo que você está indo na direção errada — que está acreditando em algo que não é verdade. Nós somos o filho pródigo. Há momentos em que hesitamos, apanhamos, sentimos medo, sofremos e caímos repetidas vezes, mas, para todos nós, o fim é perceber, lembrar e reconhecer quem somos de verdade — Consciência eterna —, e que não existe fim para ninguém.

Esta é a simples e maravilhosa verdade, aquela que tão poucos conhecem. Este é O Maior Segredo.

Não Há Fim

∞

CAPÍTULO 12 *Resumo*

- *Não existe morte da maneira que pensamos. O corpo morre, mas o espírito não pode ser tocado pela morte.*

- *Morrer antes de morrer significa morrer para a ideia de ser uma pessoa, e perceber a Consciência Infinita que você realmente é.*

- *Quando o corpo termina, a Consciência ou Percepção permanece, como sempre — completamente atenta e viva.*

- *Quando conhecemos a verdade, a vida se torna leve e fácil. Há muitas gargalhadas, amor desenfreado e gozo total diante de tudo o que acontece. Surge um amor e uma compaixão profundos pela humanidade e por todas as coisas vivas.*

- *Seu verdadeiro eu é a única permanência na existência. Tudo o mais vem e vai, aparece e desaparece.*

- *Ter uma vida na Terra é como ter um avatar em um jogo de computador. Na nossa vida humana, também ganhamos um novo corpo a cada vez que morremos, até "zerarmos o jogo", ou seja, ao acordarmos e percebermos quem somos — Consciência.*

- *Como o seu verdadeiro Eu, você vai se divertir mais do que nunca. Vai fazer todas as coisas que fazia antes. A única diferença é que vai fazer tudo em um estado contínuo de felicidade e paz.*

- *O único propósito da vida é ser a totalidade de quem somos.*

- *Muitas vezes, é através do sofrimento que começamos a nos questionar sobre o sentido da vida. Para muitos, foi esse sofrimento que levou diretamente ao paraíso do próprio Eu.*

- *Quando você sabe que tudo está bem, não importa o que aconteça, você enfim está livre de qualquer noção de negatividade, e a sua presença terá um enorme poder de acalmar quem estiver sofrendo.*

- *A Consciência é o seu caminho para abandonar todo sofrimento; é a sua chave para a imortalidade e para uma vida de riso, alegria, abundância, beleza e êxtase.*

- *Quando você vir o amor em todo canto do mundo, perceba que é você.*

- *Quando algo na vida o fizer sofrer, isso sem dúvida é um chamado ao despertar, que está lhe dizendo que está indo na direção errada — que está acreditando em algo que não é verdade.*

- *O fim para todos nós é perceber, lembrar e reconhecer quem realmente somos — Consciência eterna.*

Prácticas de
O MAIOR SEGREDO

Afirmação:

"Quero estar totalmente consciente da minha verdadeira natureza, a Consciência. Pretendo cumprir o meu propósito e viver a minha vida na alegria da Consciência Infinita que sou. Tomei a decisão de compreender plenamente a pura e eterna Consciência indestrutível que sou."

- *A Prática da Consciência:*
  Passo 1: Pergunte a si mesmo: "Estou consciente?"
  Passo 2: Perceba a Consciência.
  Passo 3: Continue a ser Consciência.

- *Transfira a sua atenção para a Consciência simplesmente ao observá-la dezenas de vezes ao longo do dia.*

- *Dedique cinco minutos por dia, no mínimo, para colocar a sua atenção na Consciência. Você pode fazer isso ao acordar, antes de dormir ou em qualquer outro momento que seja melhor para você.*

- *Questione todos os sentimentos negativos perguntando a si mesmo: "Sou isso ou sou aquele que está ciente disso?"*

- *Você pode usar a mesma pergunta ("Sou isso ou sou aquele que está ciente disso?") diante de quaisquer pensamentos negativos ou sensações corporais dolorosas.*

- *A Superprática:*
  Passo 1: Acolha qualquer coisa que seja negativa.
  Passo 2: Continue a ser Consciência (amar a Consciência é uma forma de continuar a ser Consciência).

- *Pergunte a si mesmo: "Sou aquele que sofre ou aquele que está consciente do sofrimento?" A verdade é que você é aquele que está consciente do sofrimento, não aquele que sofre.*

- *Esteja consciente quando se ouvir dizer "Acredito que..." ou "Não acredito que...", porque o que vem logo depois dessas palavras é uma crença.*

- *Esteja muito consciente quando se ouvir dizer "Acho que...", ou "Não acho que...", porque provavelmente o que virá depois dessas palavras também vai revelar uma crença.*

- *Você pode dar à mente subconsciente a ordem de lhe indicar com clareza quais são as suas crenças, de modo a se tornar mais consciente delas: "Mostre-me as minhas crenças claramente, uma por uma, para que eu tome consciência de cada uma."*

- *Para expor as suas crenças, tome consciência das suas reações.*

- *Acolha todo e qualquer sentimento de resistência.*

- *Para se libertar dos apegos e dos problemas, acolha-os e permaneça como Consciência.*

- Se não estiver se sentindo feliz, lembre-se de acolher qualquer sentimento que não for a felicidade, e deixe-o estar presente sem tentar mudá-lo ou se livrar dele.

- A Consciência diz "sim" para absolutamente tudo. A Consciência oferece a liberdade de tudo ser do jeito que é, porque o mundo e tudo nele é Consciência — até o seu próprio Eu.

- Pare e esteja presente neste instante, porque a Consciência só pode ser percebida no momento presente!

"Não importa o que venha na sua direção, essa alegria sem causa vai permanecer."

— Jan Frazier

Os autores que fazem parte de

O MAIOR SEGREDO

Sinto-me extremamente afortunada e grata por estar no planeta ao mesmo tempo que os incríveis mestres ainda vivos apresentados neste livro. Cada um deles dedicou a sua vida para a *nossa* liberdade e *nossa* felicidade. E, no caso de muitos deles, estão fazendo isso há décadas. Se você estivesse na presença de qualquer um deles, teria sentido o amor e a alegria irresistíveis que emanam deles, refletindo a verdadeira natureza deles em você. Se tiver a oportunidade de encontrar um desses mestres em pessoa, aproveite! Mas, se não puder fazer isso, com certeza pode se conectar com alguns deles através da internet. Não é a mesma coisa, mas é quase tão bom.

Despertar para a nossa verdadeira natureza é mais fácil agora do que nunca; é possível para cada um de nós fazer todo o caminho de volta para casa. Pode não ser tão fácil no futuro — não sabemos —, por isso, se for possível, tire proveito deste momento, da sua vida atual e desses mestres inspiradores.

SAILOR BOB ADAMSON

Sailor Bob é australiano e mora em Melbourne, minha cidade natal. Já no início de 2016 tomei conhecimento da sua existência, quando já tinha me dado conta da verdade de quem realmente somos. Naquela época, eu morava nos Estados Unidos, embora muitos anos antes, quando ainda vivia em Melbourne, tenha passado na frente da casa de Sailor Bob dia após dia, ano após ano, no caminho para o trabalho. Eu não fazia ideia de que estava tão próxima de um mestre que já havia ele mesmo alcançado a autopercepção, alguém que um dia teria papel fundamental na minha vida. Quando descobri Sailor Bob em 2016, decidi pegar um avião na mesma hora e me encontrar com ele. Ele estava com seus 80 anos na época e participei de vários dos seus encontros e tive algumas reuniões individuais com ele. Cada vez que o via, me sentia mais leve, mais feliz e mais livre. Era o início do meu despertar espiritual e me esforçava para entender tudo que ele me dizia, mas hoje é tudo claro como água. Sailor Bob compreendera a sua verdadeira natureza muitas décadas antes, enquanto estava na Índia, como discípulo de Nisargadartta Maharaj. Desde então, Bob compartilha os seus ensinamentos da sua própria casa, com qualquer pessoa interessada em ouvir a verdade. Ele está na faixa dos 90 anos agora e ainda continua a fazer reuniões em casa. Sua frase "O que há de errado com o agora se você não pensar sobre isso?" são algumas das palavras mais simples e profundas já ditas. Sailor Bob escreveu os livros *What's Wrong With Right Now?* e *Presence Awareness: Just This Nothing Else.* Você pode desfrutar mais dos valioso Sailor Bob Adamson em seu site: sailorbobadamson.com.

JULIAN BARBOUR

Julian Barbour é um físico britânico. É autor de três livros: *The End of Time: The Next Revolution in Our Understanding of the Universe*, que explora a ideia de que o tempo é uma ilusão; *The Discovery of Dynamics*, que investiga o contexto das descobertas de Newton; e o mais recente, *The Janus Point*, que concluiu aos 83 anos. Seu site é: platonia.com.

DAVID BINGHAM

David Bingham é britânico. Ele dedicou décadas à sua busca espiritual, e foi ao ouvir um podcast do professor John Wheeler que ele despertou para quem realmente é. David foi convidado para uma entrevista na Conscious TV na qual compartilhou sua experiência de autopercepção, e foi essa entrevista que deu início ao meu despertar. Assisti à entrevista, segui os passos de David e ouvi esse mesmo podcast, e então fiz uma consulta por telefone com David, na qual ele me ajudou a experimentar a Consciência e a enxergar a verdade de quem eu sou de verdade. Atualmente, ele é um mestre que tem ajudado muitas pessoas a perceber a sua verdadeira natureza. As entrevistas de David na Conscious TV também estão disponíveis no livro *Conversations on Non-duality*. Você pode aprender mais sobre os maravilhosos ensinamentos de David Bingham em seu site: nonconceptualawareness.com.

DEEPAK CHOPRA™, M.D.

Deepak Chopra™, um endocrinologista diplomado, fez uma jornada de descobrimento da Índia aos Estados Unidos, e, após se desencantar com a medicina ocidental, ele se voltou para a medicina alternativa. Em 1995, Deepak abriu o Chopra Center for Wellbeing, que se transformou no Chopra Global, uma companhia de medicina alternativa que está transformando o bem-estar de milhões de pessoas pelo mundo. Escreveu mais de noventa livros, dentre eles vários best-sellers. Vi Deepak falar pela primeira vez na conferência Science and Nonduality (SAND) há muitos anos, quando o ovacionei de pé depois que ele concluiu sua fala. Você pode encontrar os profundos e produtivos ensinamentos de Deepak no seu site: deepakchopra.com.

ANTHONY DE MELLO, S.J.

Anthony (Tony) de Mello foi um padre jesuíta nascido em Bombaim, na Índia. Embora tenha passado apenas 45 anos neste planeta, seus ensinamentos estão mais vivos do que nunca. Tony tinha a habilidade única de unir a espiritualidade ocidental e a oriental, o que tornou seus ensinamentos inspiradores e transformadores. Grande parte dos seus seguidores era católica ou cristã, e ele extraiu muito dos ensinamentos da Bíblia, iluminando o seu significado para o público. Foi isso, em conjunto com a sua brilhante narrativa, que despertou as pessoas para a verdade. Os livros de Tony continuaram sendo best-sellers mesmo depois da morte do seu corpo físico em 1987, e já venderam milhões de cópias: *The Way to Love*, *Sadhana*, *A Way to God*, *One Minute Wisdom*, *O enigma do iluminado*, *Wellsprings*, *Song of the Bird* e *Taking Flight*. Os meus favoritos para começar são *Awareness: Conversations with the Masters* e *Redescobrindo a vida*. Também há vídeos disponíveis, e é uma alegria testemunhar os ensinamentos de Tony, sempre acompanhados de um sorriso na voz e amor no coração. Um mestre maravilhoso. Seu site é: demellospirituality.com.

HALE DWOSKIN

Hale Dwoskin foi pupilo e herdeiro do lendário Lester Levenson, e também um dos mestres apresentados em *O Segredo*. Hale tem dedicado sua vida para dar continuidade ao trabalho de Lester através do Sedona Method, ajudando outras pessoas a se dar conta da sua verdadeira natureza. O sucesso do método é comprovado pela transformação provocada na vida de muitos indivíduos. Hale faz regularmente retiros nos quais ensina às pessoas como liberar a negatividade para que possam se tornar cientes de seu verdadeiro Eu. Grande parte da minha própria jornada se deu a partir desse processo. Você pode encontrar todos os ensinamentos de Hale e Lester nos livros *The Sedona Method* e *Happiness is Free*, volumes 1-5. Hale realiza vários retiros por ano nos Estados Unidos, onde mora, e em todo o mundo. Suas palestras, teleconferências e retiros são disponibilizados on-line, para que pessoas de todo o mundo possam participar, e participei de muitos deles dessa maneira. Todo esse conteúdo maravilhoso está também arquivado e disponível no site de Hale: sedona.com.

PETER DZIUBAN

Peter Dziuban é autor e palestrante sobre Consciência, Percepção e espiritualidade. Nascido nos Estados Unidos, mora no Arizona. Ouvi falar dele pela primeira vez quando a minha mestra me recomendou o seu livro, *Consciousness Is All*. Li o livro e depois ouvi o audiolivro, no qual Peter espontaneamente oferece muitas horas a mais de ensinamentos. *Consciousness Is All* é perspicaz e de tirar o fôlego — vai literalmente tirar o seu fôlego várias vezes ao longo da leitura. Estou muito grata por ter vivenciado este livro porque ele despedaçou o meu mundo (uma coisa boa!). Se estiver pronto para dar um passo mais avançado, é leitura obrigatória. Nesse ínterim, se você é um iniciante e gostaria de ter uma prova dos ensinamentos de Peter de maneira mais simples, recomendo que comece com o livro *Simply Notice*. Mais informações no site: peterdziuban.com.

JAN FRAZIER

Jan Frazier, escritora, professora e mãe, passou por uma transformação radical de consciência em 2003. Ela havia passado anos extremamente apreensiva em relação a um possível diagnóstico de câncer, quando de repente seu medo desapareceu e ela se viu imersa em um estado de alegria sem motivo aparente que jamais a deixou. Ao seguir com a sua vida, ela descobriu que é possível viver uma vida completamente livre de sofrimento. Seu desejo agora é comunicar a verdade que está dentro de cada um. Tive a sorte de ter contato com Jan em uma sessão privada e li todos os seus belos livros. *When Fear Falls Away: The Story of a Sudden Awakening* é o relato diário do seu despertar. Seus outros livros são *The Freedom of Being: At Ease with What Is*, *The Great Sweetening: Life After Thought* e *Opening the Door: Jan Frazier Teachings on Awakening*. Jan é uma escritora muito acessível, poética e extraordinariamente bela, como atestam as citações presentes aqui, que ela tão gentilmente me autorizou a incluir. Saiba mais sobre os ensinamentos de Jan em seu site: janfrazierteachings.com.

JOEL GOLDSMITH

Joel Goldsmith foi um místico e também um escritor espiritual americano muito adorado. É mais conhecido pelo seu livro *The Infinite Way*, que se tornou um clássico e impactou a vida de muitas pessoas ao redor do mundo, incluindo a minha. Joel tem muitos livros, e as gravações originais das suas palestras estão disponíveis no seu site, cuidadosamente mantido por seus três filhos: joelgoldsmith.com.

DR. DAVID R. HAWKINS, M.D., PH.D.

O dr. Hawkins foi um psiquiatra, médico, pesquisador, mestre espiritual e conferencista americano de renome nacional. Graças à sua formação científica e médica, seus ensinamentos espirituais eram cientificamente convincentes. Ouvi falar dele pela primeira vez há mais de quinze anos, quando li o seu livro, *Power vs Force*, que me impactou muito. Anos mais tarde, mais uma vez eu seguiria os seus ensinamentos ao ouvir muitas das suas palestras e ao ler o seu livro *Letting Go*. Outros livros do dr. David Hawkins são: *Book of Slides, Healing and Recovery, Reality, Spirituality and Modern Man, Transcending the Levels of Consciousness, Discovery of the Presence of God, Truth vs Falsehood*, dentre muitos outros. O dr. Hawkins foi um escritor, conferencista e mestre bastante prolífico, que atingiu um grande número de pessoas no mundo todo. Seu corpo físico morreu em 2012 e, desde então, sua esposa Susan mantém vivos os seus inestimáveis ensinamentos. Você pode mergulhar nos ensinamentos espirituais e no trabalho do dr. David Hawkins em seu site: veritaspub.com.

MICHAEL JAMES

Desde muito jovem, Michael James tinha muitos questionamentos e, aos 19 anos, começou uma busca mundial pelo sentido da vida. Viajou por inúmeros países e acabou no Himalaia e na Índia, visitando muitos lugares sagrados e vários *ashrams* em busca do propósito e do significado da vida. Por fim, ele foi para Tiruvannamalai, na Índia, para o *ashram* de Ramana Maharshi, que havia morrido décadas antes. Ele planejava ficar alguns dias, mas acabou ficando por vinte anos. Ao chegar lá, Michael leu o livro de Ramana, *Who Am I?*, e soube que havia finalmente encontrado o que estava procurando. Ele começou a aprender tâmil, uma língua indiana, para que pudesse traduzir os ensinamentos de Ramana Maharshi, o que fez ao longo dos vinte anos seguintes. Conheci Michael quando o vi sendo entrevistado na Conscious TV. Imediatamente li o seu esclarecedor livro *Happiness and The Art of Being*, que encapsula os ensinamentos de Ramana e é o trabalho da vida de Michael. Seu site: happinessofbeing.com.

BYRON KATIE

Byron Katie levava a vida de uma americana comum — dois casamentos, três filhos e uma carreira de sucesso — quando entrou em uma longa espiral descendente de depressão, agorafobia, autoaversão e tendências suicidas, que durou dez anos. Em desespero, Katie se internou em um centro de reabilitação, onde acordaria uma semana depois ou mais, quando toda a depressão e o medo haviam desaparecido. No lugar deles, Katie se viu intoxicada de uma alegria que continua com ela desde então. O que ela percebeu foi que, quando acreditava nos seus pensamentos, ela sofria, mas que, quando não os questionava, ela não sofria, e que isso é verdade para todos os seres humanos. A partir da sua experiência de autopercepção, Katie desenvolveu quatro questões que ficaram conhecidas como "The Work". Esses ensinamentos libertaram centenas de milhares de pessoas do sofrimento no mundo inteiro, e continuam a fazer isso até hoje. Usei os ensinamentos de Katie para questionar meus próprios pensamentos e tive a sorte de estar presente em várias de suas palestras, nas quais ela usou as suas quatro perguntas para libertar as pessoas das suas crenças. Os livros de Katie incluem: *Loving What Is, A Mind at Home with Itself, A Thousand Names for Joy, I Need Your Love — Is That True?* e *A Friendly Universe*; e para crianças *Tiger-Tiger — Is It True?* e *The Four Questions*. Saiba mais sobre os belos ensinamentos de Byron Katie aqui: thework.com.

LOCH KELLY

Loch Kelly combina ensinamentos de sabedoria, psicologia e estudos da neurociência para nos ajudar a viver uma vida desperta. Depois de uma jornada espiritual que incluiu várias tradições e mestres, Loch se deu conta da sua verdadeira natureza. Nos seus ensinamentos, Loch compartilha a própria experiência, que lhe proporcionou grande alegria, liberdade e amor, e ajuda as pessoas a despertarem enquanto o próximo estágio natural do desenvolvimento humano. Seus livros são: *Shift Into Freedom* e *The Way of Effortless Mindfulness*. Você também vai encontrar ensinamentos, retiros, vídeos on-line, e cursos muito ricos sobre Loch no site: lochkelly.org.

J. KRISHNAMURTI

O já falecido J. Krishnamurti nasceu na Índia em 1895 e entrou em contato com a sua verdadeira natureza quando era criança. É amplamente considerado um dos maiores pensadores e professores de religião de todos os tempos. Meu ex-marido ouviu Krishnamurti durante todo o nosso casamento, então fui exposta aos seus ensinamentos por muitos anos, quando tinha entre 20 e 30 anos. Mas foi apenas mais tarde, com a minha jornada espiritual a partir de *O Segredo*, que voltei aos seus ensinamentos e enfim fui capaz de entendê-los. Muitos dos mestres presentes neste livro foram influenciados pelos seus ensinamentos. Krishnamurti passou a vida inteira viajando o mundo, falando para grandes públicos e também para indivíduos, incluindo escritores, cientistas, filósofos, figuras religiosas e educadores, sobre a necessidade de uma mudança radical na humanidade. Ele se preocupava com todos os seres humanos, não tinha nacionalidade ou crença e não pertencia a nenhum grupo ou cultura em particular. Krishnamurti deixou uma grande quantidade de conteúdo na forma de palestras, escritos, discussões com mestres e alunos, entrevistas na televisão e no rádio, e cartas. Muitos deles foram publicados como livros, em mais de cinquenta idiomas, junto com centenas de gravações de áudio e vídeo. Para acessar o tesouro deixado por Krishnamurti, acesse: jkrishnamurti.org.

DR. ROBERT LANZA

O dr. Robert Lanza é considerado um dos pais da biologia aplicada na área de células-tronco. Ele tem centenas de publicações e invenções, e mais de trinta livros científicos, incluindo *Biocentrism*, no qual defende um argumento convincente sobre a consciência enquanto a base para o Universo, em vez de seu subproduto. Se está à procura de uma perspectiva científica brilhante sobre o conteúdo deste livro, *Biocentrism: How Life and Consciousness are the Keys to Understanding the True Nature of the Universe* o deixará fascinado e responderá a todas as perguntas que você tiver. O dr. Lanza recebeu inúmeros prêmios, e figurou entre as pessoas mais influentes do mundo nas listas *Time* Top 100 e na *Prospect* Top 50 "World Thinkers". Ele foi descrito como um gênio e um pensador renegado, e foi comparado a Einstein. Para saber mais sobre o brilhante Robert Lanza: robertlanza.com.

PETER LAWRY E KALYANI LAWRY

Peter e Kalyani Lawry são australianos que vivem em Melbourne (minha cidade natal). Depois de uma intensa jornada espiritual que durou anos, e depois de viajarem pela Índia, Peter e Kalyani compreenderam a sua verdadeira natureza. É raro ter um casal em que ambos tenham atingido a autopercepção, e isso faz com que os encontros que os dois promovem em Melbourne muito especial. Há alguns anos, em uma visita a Melbourne, estive com eles durante uma tarde que mudou a minha vida, e tive também a sorte de ter participado de algumas sessões individuais por telefone com Kalyani. Juntos escreveram *A Sprinkling of Jewels*, e *Only That* é de autoria de Kalyani. Saiba mais em: nonduality.com.au.

LESTER LEVENSON

Lester Levenson, a lenda. Ele foi a prova viva do que acontece em um corpo doente quando a luz da verdade penetra nele. Lester costumava dizer que "doença no corpo é doença na mente". Ele tem sido uma inspiração para milhares e milhares de pessoas, e seus ensinamentos continuaram a inspirar e a libertar muitos do sofrimento bem depois da morte do seu corpo físico nos anos 1990. O estilo de ensinar de Lester é simples e, portanto, cristalino, e por esta razão seus ensinamentos continuarão a despertar as pessoas ainda por séculos. O legado de Lester inclui o seu principal núcleo de discípulos que atingiram a autopercepção e que agora são mestres eles próprios. Dentre eles está Hale Dwoskin, o guardião do trabalho de Lester, e é com enorme gratidão a ele que compartilho tantos dos simples e poderosos ensinamentos de Lester neste livro. Os ensinamentos de Lester desempenharam um papel fundamental na minha vida e continuam a fazê-lo. A maioria das citações a Lester apresentadas ao longo deste livro foram extraídas de *Happiness Is Free*, volumes 1-5, escrito por Lester Levenson e Hale Dwoskin. Para saber mais sobre esse maravilhoso mestre, acesse: sedona.com.

FRANCIS LUCILLE

Francis Lucille nasceu na França e atualmente mora nos Estados Unidos. Ele compreendeu sua verdadeira natureza aos 30 anos de idade quando conheceu seu mestre, Jean Klein. Foi por sugestão de Jean Klein que Francis se mudou para os Estados Unidos, a fim de ensinar e compartilhar a verdade com outras pessoas. Francis se formou em física na renomada École Polytechnique, na França e, em razão disso, é capaz de trazer uma perspectiva científica para os seus ensinamentos. Ajudou inúmeras pessoas a perceberem a verdadeira natureza por meio dos seus belos, claros e precisos ensinamentos, incluindo o seu discípulo Rupert Spira, que também é citado neste livro. Fiz vários retiros com Francis na sua propriedade na Califórnia e também tive o imenso prazer de passar horas com ele no local. Francis organiza retiros todos os anos na Europa e nos Estados Unidos, que contam com a participação pessoal dele aos finais de semana (na maioria dos finais de semana). Esses encontros são transmitidos ao vivo pela internet, e você pode participar deles onde quer que esteja e vivenciar a presença acolhedora deste maravilhoso mestre. Os livros de Francis são *Truth Love Beauty*, *The Perfume of Silence* e *Eternity Now*, e tive a oportunidade de ler cada um deles mais de uma vez. Você pode encontrar uma vasta gama dos brilhantes ensinamentos de Francis, seus encontros e retiros no site: advaitachannel.francislucille.com.

SHAKTI CATERINA MAGGI

Shakti Caterina Maggi tornou-se mestra há nove anos, depois de passar por seu despertar em 2003. Desde que começou nessa função, Shakti tem compartilhado a mensagem de despertar para nossa verdadeira natureza como Consciência Única. Ela é italiana, vive na Itália e realiza retiros e encontros na Itália, Europa e em todo o mundo, e também on-line. As reuniões são realizadas em italiano e algumas em inglês. A primeira vez que vi Shakti foi em uma conferência espiritual da qual participei, na qual sua palestra e presença me impactaram muito. Ela é citada no livro *On the Mystery of Being*. Ela também escreve um blog em inglês, e você pode encontrar muitos artigos interessantes no seu site: shakticaterina-maggi.com.

RAMANA MAHARSHI

O já falecido Ramana Maharshi é um ser lendário. Em 1896, aos 16 anos, um medo intenso da morte o invadiu. Ramana se deitou e acolheu a morte por completo. Naquele momento, ele deixou de ser uma pessoa e passou a ser o que é de fato — o Espírito imortal. Para Ramana, daquele dia em diante, a pessoa do lado de fora que ele parecia ser existia apenas no olhar das outras pessoas — para ele, havia apenas o espaço infinito da consciência. Os ensinamentos de Ramana revelam o caminho sem desvios para o despertar por meio do autoquestionamento, que é usado por muitos dos mestres apresentados neste livro. Seus ensinamentos apontam você para o seu Eu mais íntimo, a única realidade subjacente a tudo o que existe. Eu sou apenas uma das muitas pessoas cujas vidas foram transformadas por meio dos ensinamentos de Ramana Maharshi. Para saber mais sobre ele, visite seu site, onde há uma grande variedade de livros disponíveis para download gratuito: sriramanamaharshi.org.

MOOJI

Mooji nasceu na Jamaica e se mudou para Londres ainda adolescente. Atualmente vive em Portugal, onde fundou o Monte Sahaja Center for Self-Realisation. O despertar espiritual de Mooji teve início em 1987 a partir de um encontro com um místico cristão e culminou em 1993, aos pés do seu mestre, o renomado sábio indiano, Papaji. Desde então, inúmeras pessoas foram a Mooji em busca de orientação espiritual, muitas delas vindo a compreender a sua verdadeira natureza. Seus profundos ensinamentos lhe trouxeram um grande número de seguidores no mundo todo, em especial no YouTube, onde ele disponibiliza gratuitamente os vídeos de muitas de suas palestras (*satsangs*). O estilo de ensino de Mooji contagia muitas pessoas, em particular o seu senso de humor e as analogias, histórias e metáforas que ele habilmente usa para iluminar a verdade. Como muitos outros, assisti a centenas das palestras de Mooji on-line. Fui para Portugal para participar de um dos seus retiros com a minha filha, e foi nesse retiro que ela experimentou seu verdadeiro Eu. Nenhum reconhecimento poderia ser maior do que esse. Os livros de Mooji incluem: *Vaster Than Sky, Greater Than Space*; *White Fire, second edition*; *The Mala of God*; e *An Invitation to Freedom* (um pequeno, mas imenso livro para compreender o seu verdadeiro Eu). Você pode encontrar os livros e inúmeros ensinamentos deste belo ser em: mooji.org.

MINHA MESTRA

Minha mestra, que prefere permanecer anônima, foi aluna de Lester Levenson e Robert Adams, dois dos meus mestres favoritos do passado. Quatro anos atrás, quando a conheci e fiquei na sua presença, fui dominada por uma alegria extasiante. Quando você sente esse nível de êxtase, não quer que ele vá embora nunca mais. Este grau de felicidade é a nossa verdadeira natureza! Infelizmente, a alegria extasiante não permaneceu para sempre, pois aos poucos a minha mente voltou, trazendo com ela a sua infelicidade e o seu estresse. Mas com a orientação da minha mestra, seguindo suas práticas religiosamente (todas apresentadas neste livro) e estando regularmente na sua presença, minha mente se tornou cada vez mais fraca. Agora, a paz e a felicidade estão comigo a maior parte do tempo, e sei que pode ser assim para todos.

JAC O'KEEFFE

Jac O'Keeffe é irlandesa e atualmente vive na Flórida. Ela descobriu a verdade e atingiu a autopercepção há mais de dez anos. Não existe nada melhor do que os seus ensinamentos, nos quais ela força os limites da mente condicionada. Conhecida por sua clareza e por ser muito direta, ela realiza retiros, workshops e sessões individuais para seus discípulos. Descobri Jac on-line há alguns anos e também que os seus ensinamentos são como uma lufada de ar fresco. Também tive a sorte de ter assistido pessoalmente a algumas das suas palestras. Você pode ainda ser inspirado pelo trabalho de Jac através de seus livros *Born to Be Free* e *How To Be a Spiritual Rebel*. Como todos os mestres deste livro, ela dedica a vida para libertar a humanidade do sofrimento desnecessário causado pela mente para que possamos viver na alegria e no êxtase de nosso verdadeiro Eu. Seu site: jac-okeeffe.com.

MAX PLANCK

O físico alemão Max Planck fez muitas contribuições à física teórica, mas a sua fama se deve principalmente à descoberta dos quanta de energia, pela qual ganhou o Nobel em 1918, e que revolucionou a compreensão humana dos processos atômicos e subatômicos.

SRI POONJA

Sri Poonja, carinhosamente conhecido como "Papaji" por seus discípulos, dentre eles Mooji, nasceu na Índia. Papaji foi atraído pela espiritualidade quando era apenas uma criança, tendo sua primeira experiência espiritual aos 9 anos. Somente cerca de trinta anos mais tarde que a busca espiritual de Papaji terminaria, quando ele conheceu Ramana Maharshi e percebeu seu verdadeiro Eu. Durante os anos 1980 e 1990, milhares de pessoas se reuniram em Lucknow, na Índia, para estar com a energia de Papaji. Ele deixou seu corpo em 1997. Para descobrir mais sobre os ensinamentos de Papaji: satsangbhavan.net

ORDEM ROSACRUZ

Na Introdução e ao longo de todo o livro, menciono a Ordem Rosacruz, cuja sede fica nas Ilhas Canárias, na Espanha. Fui nomeada membro honorário desta organização sem fins lucrativos, que se dedica a elevar a consciência da humanidade. A formação da Ordem Rosacruz na Europa remonta ao século XIV, mas ela é também a herdeira espiritual das antigas escolas de conhecimento que floresceram na Babilônia, no Egito, na Grécia e em Roma e, talvez, até de outras anteriores. A Ordem teve como membros inúmeros seres ilustres, que ao longo dos séculos trabalharam silenciosa e diligentemente, com grande risco para si próprios, para libertar a humanidade do sofrimento através da verdade. Francis Bacon foi o Imperator da Ordem Rosacruz durante sua vida, Isaac Newton foi membro, e eles são apenas dois dos muitos nomes famosos associados à Ordem. O atual Imperator da Ordem, Angel Martin Velayos, foi meu mentor por muitos anos. Estudei os ensinamentos da Rosacruz ao longo de um período de dez anos, completando mais de 22 graus das lições em inglês, e eles tiveram um enorme impacto em me ajudar a ver e a compreender a verdade. Para saber mais sobre a Ordem, visite: www. rosicrucian-order.com.

RUMI

Rumi foi um místico e poeta sufi do século XIII. Sua influência e suas palavras pungentes sobre a verdade transcenderam todas as fronteiras relacionadas a religião, geografia e tradição espiritual, e seus poemas continuam a ser apreciados pelo mundo todo.

PETER RUSSELL

Peter Russell, que originalmente se formou em física e matemática na Universidade de Cambridge, estudou ciências e tradições espirituais ao longo de sua vida. Alguns dos seus muitos livros são: *The Global Brain*, *The TM Technique*, *Waking Up in Time*, *From Science to God*, e *The Consciousness Revolution*. Tive o prazer de ver Peter falar na conferência Science and Nonduality (SAND), em San Jose. Você encontra muitas das suas palestras gratuitamente no seu site, acompanhadas de seus grandes ensinamentos: peterrussell.com

RUPERT SPIRA

Rupert Spira é britânico e vive na Inglaterra, onde organiza regularmente encontros e retiros. Ele também viaja várias vezes ao ano para realizar retiros na Europa e nos Estados Unidos. Artista e ceramista de formação, após vinte anos de prática espiritual e meditação, Rupert reconheceu a sua verdadeira natureza por meio do seu mestre, Francis Lucille. O estilo articulado e muito íntimo do ensino de Rupert tem transformado a vida de um grande número de discípulos. Seus ensinamentos desempenharam um papel importante na minha jornada de despertar, especialmente na não identificação com o corpo. Sua abordagem à pergunta de um discípulo visa garantir meticulosamente que o discípulo realmente experimente a resposta, em vez de oferecer apenas um conceito mental. Uma riqueza de ensinamentos em vídeo e áudio dos retiros e palestras de Rupert estão disponíveis no seu site. Os livros de Rupert, que li todos, são: *The Nature of Consciousness*; *Transparent Body, Luminous World*; *The Light of Pure Knowing*; *The Transparency of Things*; *The Art of Peace and Happiness*; *The Intimacy of All Experience*; *Being Aware of Being Aware*; e *The Ashes of Love*. Visite: rupertspira.com

ECKHART TOLLE

Eckhart Tolle é um mestre espiritual e escritor nascido na Alemanha. Ele esteve em depressão durante a maior parte de sua vida, quando aos 29 anos passou por uma profunda transformação interior que mudou radicalmente sua trajetória. Com seus best-sellers internacionais, *O poder do agora* e *Um novo mundo* — traduzidos para mais de 52 idiomas —, ele apresentou a milhões de pessoas a alegria e a liberdade de viver a vida no momento presente. Seus ensinamentos simples e profundos já ajudaram inúmeras pessoas em todo o mundo encontrar a paz interior e uma maior satisfação em suas vidas. Na raiz dos seus ensinamentos está um despertar espiritual que ele acredita ser o próximo passo na evolução humana. Um aspecto essencial desse despertar consiste em transcender nosso estado de consciência baseado no ego. Como milhões de outras pessoas, descobri pela primeira vez os ensinamentos de Eckhart em seu livro *O poder do agora*. Passei por muitas mudanças e experiências espirituais lendo este livro, e carreguei o *Praticando o poder do agora* comigo e segui as suas práticas por alguns anos. Seus outros livros são *O poder do silêncio* e os infantis *Guardiões do Ser* e *Milton's Secret*. Eckhart organiza retiros e palestras em todo o mundo, o que resulta em uma enorme contribuição para a humanidade, pois ele liberta muitos das amarras do sofrimento provocados pelo ego. O site de Eckhart é: eckharttolle.com.

UPANIXADES

Os Upanixades são antigos textos em sânscrito contendo ensinamentos espirituais, escritos por volta de 800 - 200 a.C. Eles fazem parte das mais antigas escrituras espirituais do hinduísmo, os Vedas.

ALAN WATTS

O já falecido Alan Watts foi um escritor e professor britânico que popularizou as filosofias orientais para o público ocidental. Como era dotado de uma bela oratória, suas palestras continuam a ser populares em todo o mundo, muitos anos após a morte de sua forma física, em 1973. Alan escreveu 25 livros (dos quais li a maioria). Entre os mais famosos estão: *The Book: On the Taboo Against Knowing Who You Are*, *A sabedoria da insegurança* e *The Way of Zen*. Seus filhos disponibilizaram vídeos de várias de suas palestras na internet, assim como preservaram discursos e aulas no seu site para que sua contribuição ao planeta possa continuar por gerações e gerações: alanwatts.org

PAMELA WILSON

Pamela Wilson mora na área da baía de San Francisco, norte da Califórnia, e foi discípula de Lester Levenson e Robert Adams. Por mais de vinte anos ela viajou por Estados Unidos, Canadá e Europa, organizando retiros e dando palestras públicas e privadas na tradição da não dualidade. Ela é a própria doçura e compaixão, e tive a sorte de assistir a várias de suas palestras. Ela também é destaque no livro *On the Mystery of Being*, da comunidade Science and Nonduality. Para saber mais sobre Pamela, seu site contém um grande acervo dos seus ensinamentos: pamelasatsang.com

PARAMAHANSA YOGANANDA

Nos mais de cem anos desde o seu nascimento, este amado mestre do mundo se tornou reconhecido como um dos maiores emissários da antiga sabedoria da região Oeste da Índia. A vida e os ensinamentos de Yogananda continuam a ser fonte de luz e inspiração para pessoas de todas as etnias, culturas e crenças. Entre seus discípulos estavam muitas figuras proeminentes nos campos da ciência, dos negócios e das artes, e ele foi oficialmente recebido na Casa Branca pelo presidente Calvin Coolidge. Eu descobri os ensinamentos de Yogananda pela primeira vez quando, como muitas outras pessoas, li *Autobiografia de um iogue*, livro que já vendeu milhões de exemplares. É um livro inesquecível, que provocou uma revolução espiritual, que teve um efeito profundo também em mim. Você encontra *Autobiografia de um iogue* no site da Self-Realization Fellowship (fundada por Yogananda). Ele escreveu muitos outros livros, e você pode se inscrever em seu site para receber as Lições da SRF, escritas pelo próprio Yogananda: yogananda.org.